10000题

每天100道口算题卡

靳 哲 主编

计时
测评

二年级 上册

学校:＿＿＿＿＿＿＿＿

年级:＿＿＿＿＿＿＿＿

姓名:＿＿＿＿＿＿＿＿

哈尔滨出版社

图书在版编目（CIP）数据

每天 100 道口算题卡. 计时测评. 二年级. 上册 / 靳哲主编.
— 哈尔滨：哈尔滨出版社, 2020.8

ISBN 978-7-5484-5372-7

Ⅰ. ①每… Ⅱ. ①靳… Ⅲ. ①速算—小学—习题集Ⅳ. ①
G624.565

中国版本图书馆 CIP 数据核字(2020)第 117198 号

书　　名：每天 100 道口算题卡　计时测评　二年级上册
　　　　　MEITIAN 100 DAO KOUSUAN TIKA JISHI CEPING ER NIANJI SHANGCE

作　　者：靳　哲　主编
责 任 编 辑：杨浥新
责 任 审 校：李　战
装 帧 设 计：华诚优贝

出 版 发 行：哈尔滨出版社（Harbin Publishing House）
社　　址：哈尔滨市松北区世坤路 738 号 9 号楼　　邮　编：　150028
经　　销：全国新华书店
印　　刷：武汉市华东印务有限责任公司
网　　址：www.hrbcbs.com　　　www.mifengniao.com
E－mail：　hrbcbs@yeah.net
编 辑 版 权 热 线：（0451）87900271　　87900272
销 售 热 线：（0451）87900202　　87900203
邮 购 热 线：4006900345　（0451）87900256

开　　本：889mm×1194mm　1/16　印张：6.5　字数：60 千字
版　　次：2020 年 8 月第 1 版
印　　次：2021 年 6 月第 2 次印刷
书　　号：ISBN 978-7-5484-5372-7
定　　价：29.80 元

凡购本社图书发现印装错误，请与本社印制部联系调换。
服 务 热 线：（0451）87900278

目 录

① 27+9=

② 43+25=

③ 13+25=

④ 27+49=

⑤ 33+36=

⑥ 21+14=

⑦ 54+16=

⑧ 35+26=

⑨ 25+6=

⑩ 7+68=

⑪ 41+53=

⑫ 37+6=

⑬ 9+62=

⑭ 8+87=

⑮ 42+3=

⑯ 21+34=

⑰ 93+5=

⑱ 24+6=

⑲ 9+91=

⑳ 51+8=

㉑ 8+47=

㉒ 36+49=

㉓ 79+11=

㉔ 9+54=

㉕ 21+7=

㉖ 9+16=

㉗ 81+6=

㉘ 5+89=

㉙ 38+5=

㉚ 28+6=

㉛ 45+8=

㉜ 19+13=

㉝ 12+61=

㉞ 31+38=

㉟ 4+53=

㊱ 57+23=

㊲ 89+2=

㊳ 28+24=

㊴ 38+16=

㊵ 2+41=

㊶ 71+14=

㊷ 69+15=

㊸ 51+43=

㊹ 14+68=

㊺ 22+38=

㊻ 49+50=

㊼ 94+6=

㊽ 5+84=

㊾ 44+8=

㊿ 81+9=

㉛ 32+49=

㊷ 7+76=

㊸ 46+41=

㊹ 32+59=

㊺ 22+27=

㊻ 58+26=

㊼ 26+15=

㊽ 32+49=

㊾ 52+46=

㊿ 78+9=

㊶ 25+33=

㊷ 37+54=

㊸ 68+19=

㊹ 43+37=

㊺ 37+9=

㊻ 34+8=

㊼ 26+57=

㊽ 27+55=

㊾ 39+24=

㊿ 64+19=

⑦⑴ 9+82=

⑦⑵ 12+59=

⑦⑶ 62+25=

⑦⑷ 7+36=

⑦⑸ 8+85=

⑦⑹ 24+28=

⑦⑺ 12+34=

⑦⑻ 48+5=

⑦⑼ 19+41=

⑧⓪ 9+72=

⑧⑴ 2+93=

⑧⑵ 47+3=

⑧⑶ 89+3=

⑧⑷ 57+9=

⑧⑸ 9+28=

⑧⑹ 21+5=

⑧⑺ 9+71=

⑧⑻ 72+9=

⑧⑼ 58+（　　）=99

⑨⓪ 41+（　　）=65

⑨⑴ （　　）+6=83

⑨⑵ （　　）+62=71

⑨⑶ （　　）+47=63

⑨⑷ 42+（　　）=51

⑨⑸ 28+24=（　　）+5

⑨⑹ 38+16=（　　）+9

⑨⑺ 32+49=（　　）+7

⑨⑻ 7+76=（　　）+15

⑨⑼ 46+41=（　　）+6

⑩⓪ 32+59=（　　）+5

知识课堂

$$30 + 20 = 50$$
$$3 + 2$$

计算 30 + 20 时，把十位上的数相加，个位上的 0 不变。

家园互动

点评：对　　　　题　错　　　　题　用时：　　　　　　

1

______月______日　星期______　　评分：真棒！　不错！　加油！

① 44+14=
② 21+8=
③ 61+7=
④ 73+5=
⑤ 55+22=
⑥ 5+27=
⑦ 30+44=
⑧ 43+4=
⑨ 3+31=
⑩ 44+4=
⑪ 61+1=
⑫ 60+12=
⑬ 10+56=
⑭ 2+63=
⑮ 22+5=
⑯ 31+7=
⑰ 20+32=
⑱ 9+71=
⑲ 3+85=
⑳ 61+4=
㉑ 11+81=
㉒ 12+4=
㉓ 4+52=
㉔ 40+54=
㉕ 91+6=

㉖ 5+13=
㉗ 32+6=
㉘ 10+34=
㉙ 45+3=
㉚ 8+62=
㉛ 3+27=
㉜ 72+3=
㉝ 3+71=
㉞ 24+4=
㉟ 52+36=
㊱ 14+4=
㊲ 6+26=
㊳ 53+13=
㊴ 91+7=
㊵ 5+62=
㊶ 53+24=
㊷ 8+45=
㊸ 55+3=
㊹ 8+17=
㊺ 61+31=
㊻ 7+26=
㊼ 46+2=
㊽ 16+73=
㊾ 31+2=
㊿ 7+31=

(51) 25+13=
(52) 22+4=
(53) 10+17=
(54) 6+31=
(55) 13+4=
(56) 35+24=
(57) 5+32=
(58) 82+4=
(59) 22+24=
(60) 6+63=
(61) 3+62=
(62) 53+4=
(63) 5+52=
(64) 93+6=
(65) 50+12=
(66) 41+8=
(67) 36+13=
(68) 9+81=
(69) 4+26=
(70) 9+23=
(71) 5+54=
(72) 12+7=
(73) 6+27=
(74) 23+5=
(75) 71+14=

(76) 5+23=
(77) 21+6=
(78) 7+43=
(79) 61+6=
(80) 7+44=
(81) 6+25=
(82) 56+42=
(83) 8+72=
(84) 7+81=
(85) 44+33=
(86) 4+25=
(87) 12+6=
(88) 46+12=
(89) 48+(　　)=57
(90) 31+(　　)=62
(91) (　　)+10=73
(92) (　　)+35=72
(93) (　　)+46=88
(94) 49+(　　)=81
(95) 21+24=(　　)+7
(96) 35+15=(　　)+1
(97) 32+49=(　　)+5
(98) 8+53=(　　)+21
(99) 22+41=(　　)+4
(100) 42+31=(　　)+8

思维拓展

一个筐里装着 52 个苹果，另一个筐里装着一些梨。如果从梨筐里取走 18 个梨，那么梨就比苹果少 12 个。原来梨筐里有多少个梨？

家园互动

点评：对______题　错______题　用时：__________

100以内的加法运算(二)

① 27+9=

② 43+25=

③ 13+25=

④ 27+49=

⑤ 33+36=

⑥ 21+14=

⑦ 54+16=

⑧ 35+26=

⑨ 25+6=

⑩ 7+68=

⑪ 41+53=

⑫ 37+6=

⑬ 9+62=

⑭ 8+87=

⑮ 42+3=

⑯ 21+34=

⑰ 93+5=

⑱ 24+6=

⑲ 9+91=

⑳ 51+8=

㉑ 8+47=

㉒ 36+49=

㉓ 79+11=

㉔ 9+54=

㉕ 21+7=

㉖ 9+16=

㉗ 81+6=

㉘ 5+89=

㉙ 38+5=

㉚ 28+6=

㉛ 45+8=

㉜ 19+13=

㉝ 12+61=

㉞ 31+38=

㉟ 4+53=

㊱ 57+23=

㊲ 89+2=

㊳ 28+24=

㊴ 38+16=

㊵ 2+41=

㊶ 71+14=

㊷ 69+15=

㊸ 51+43=

㊹ 14+68=

㊺ 22+38=

㊻ 49+50=

㊼ 94+6=

㊽ 5+84=

㊾ 44+8=

㊿ 81+9=

(51) 32+49=

(52) 7+76=

(53) 46+41=

(54) 32+59=

(55) 22+27=

(56) 58+26=

(57) 26+15=

(58) 32+49=

(59) 52+46=

(60) 78+9=

(61) 25+33=

(62) 37+54=

(63) 68+19=

(64) 43+37=

(65) 37+9=

(66) 34+8=

(67) 26+57=

(68) 27+55=

(69) 39+24=

(70) 64+19=

(71) 9+82=

(72) 12+59=

(73) 62+25=

(74) 7+36=

(75) 8+85=

(76) 24+28=

(77) 12+34=

(78) 48+5=

(79) 19+41=

(80) 9+72=

(81) 2+93=

(82) 47+3=

(83) 89+3=

(84) 57+9=

(85) 9+28=

(86) 21+5=

(87) 9+71=

(88) 72+9=

(89) 58+(　)=99

(90) 41+(　)=65

(91) (　)+6=83

(92) (　)+62=71

(93) (　)+47=63

(94) 42+(　)=51

(95) 28+24=(　)+5

(96) 38+16=(　)+9

(97) 32+49=(　)+7

(98) 7+76=(　)+15

(99) 46+41=(　)+6

(100) 32+59=(　)+5

知识课堂

35 + 6 = 41

5　1

40

把6分成5和1;
先算35 + 5 = 40;
再算40 + 1 = 41。

家园互动

点评:对______题　错______题　用时:__________

① 44+14=
② 21+8=
③ 61+7=
④ 73+5=
⑤ 55+22=
⑥ 5+27=
⑦ 30+44=
⑧ 43+4=
⑨ 3+31=
⑩ 44+4=
⑪ 61+1=
⑫ 60+12=
⑬ 10+56=
⑭ 2+63=
⑮ 22+5=
⑯ 31+7=
⑰ 20+32=
⑱ 9+71=
⑲ 3+85=
⑳ 61+4=
㉑ 11+81=
㉒ 12+4=
㉓ 4+52=
㉔ 40+54=
㉕ 91+6=
㉖ 5+13=
㉗ 32+6=
㉘ 10+34=
㉙ 45+3=
㉚ 8+62=
㉛ 3+27=
㉜ 72+3=
㉝ 3+71=
㉞ 24+4=
㉟ 52+36=
㊱ 14+4=
㊲ 6+26=
㊳ 53+13=
㊴ 91+7=
㊵ 5+62=
㊶ 53+24=
㊷ 8+45=
㊸ 55+3=
㊹ 8+17=
㊺ 61+31=
㊻ 7+26=
㊼ 46+2=
㊽ 16+73=
㊾ 31+2=
㊿ 7+31=
(51) 82+4=
(52) 22+24=
(53) 6+63=
(54) 3+62=
(55) 53+4=
(56) 5+52=
(57) 93+6=
(58) 50+12=
(59) 41+8=
(60) 36+13=
(61) 9+81=
(62) 4+26=
(63) 9+23=
(64) 5+54=
(65) 12+7=
(66) 6+27=
(67) 23+5=
(68) 71+14=
(69) 5+23=
(70) 21+6=
(71) 7+43=
(72) 61+6=
(73) 7+44=
(74) 6+25=
(75) 56+42=
(76) 8+72=
(77) 7+81=
(78) 44+33=
(79) 4+25=
(80) 12+6=
(81) 46+12=
(82) 25+13=
(83) 22+4=
(84) 10+17=
(85) 6+31=
(86) 13+4=
(87) 35+24=
(88) 5+32=
(89) 49+(　)=91
(90) 31+24=(　)+7
(91) 35+16=(　)+5
(92) 31+29=(　)+9
(93) 8+52=(　)+29
(94) 32+41=(　)+7
(95) 42+31=(　)+6
(96) 58+(　)=87
(97) 41+(　)=52
(98) (　)+20=73
(99) (　)+45=72
(100) (　)+36=88

思维拓展

联欢会上，要把 14 个水果装在 6 个袋子里，要求每个袋子中装的水果都是双数，而且水果和袋子都不剩，应该怎样装？

家园互动

点评：对______题　错______题　用时：__________

100以内的加法运算(三)

① 92+6=
② 14+54=
③ 78+11=
④ 18+41=
⑤ 4+83=
⑥ 40+20=
⑦ 31+23=
⑧ 81+14=
⑨ 11+14=
⑩ 11+37=
⑪ 22+45=
⑫ 15+74=
⑬ 11+26=
⑭ 33+46=
⑮ 75+23=
⑯ 84+14=
⑰ 55+24=
⑱ 11+18=
⑲ 42+44=
⑳ 2+86=
㉑ 10+20=
㉒ 73+21=
㉓ 65+31=
㉔ 68+31=
㉕ 76+22=
㉖ 11+17=
㉗ 30+56=
㉘ 64+14=
㉙ 51+45=
㉚ 20+29=
㉛ 17+42=
㉜ 56+42=
㉝ 22+17=
㉞ 15+42=
㉟ 63+23=
㊱ 14+15=
㊲ 72+22=
㊳ 6+83=
㊴ 13+16=
㊵ 22+22=
㊶ 45+33=
㊷ 25+34=
㊸ 4+94=
㊹ 11+13=
㊺ 14+74=
㊻ 75+13=
㊼ 18+20=
㊽ 21+26=
㊾ 49+1=
㊿ 51+18=
(51) 25+61=
(52) 71+13=
(53) 14+75=
(54) 11+15=
(55) 23+26=
(56) 46+23=
(57) 11+16=
(58) 66+11=
(59) 9+54=
(60) 85+12=
(61) 15+31=
(62) 62+16=
(63) 16+33=
(64) 47+31=
(65) 54+35=
(66) 4+93=
(67) 36+11=
(68) 53+23=
(69) 14+35=
(70) 23+71=
(71) 10+17=
(72) 21+17=
(73) 81+13=
(74) 12+13=
(75) 41+11=
(76) 12+11=
(77) 68+27=
(78) 63+13=
(79) 15+44=
(80) 17+11=
(81) 30+40=
(82) 16+12=
(83) 53+21=
(84) 22+44=
(85) 34+14=
(86) 12+23=
(87) 21+71=
(88) 61+23=
(89) 84+(　　)=98
(90) 55+(　　)=79
(91) (　　)+18=29
(92) (　　)+44=86
(93) (　　)+56=63
(94) 11+(　　)=39
(95) 11+34=(　　)+7
(96) 24+15=(　　)+9
(97) 22+49=(　　)+3
(98) 7+66=(　　)+9
(99) 26+41=(　　)+6
(100) 32+51=(　　)+4

知识课堂

用尺子测量物体长度时，一般把尺子的0刻度对准物体的左端，再看物体的右端对着几，长就是几。

家园互动

点评：对______题　错______题　用时：__________

_____月_____日　星期_____　　　评分：真棒！☺　不错！☺　加油！☺

① 86+11=

② 33+65=

③ 32+43=

④ 55+43=

⑤ 56+31=

⑥ 66+12=

⑦ 76+3=

⑧ 87+11=

⑨ 3+46=

⑩ 47+21=

⑪ 73+2=

⑫ 65+31=

⑬ 33+64=

⑭ 87+10=

⑮ 77+12=

⑯ 54+24=

⑰ 67+12=

⑱ 48+5=

⑲ 86+13=

⑳ 7+15=

㉑ 56+21=

㉒ 61+34=

㉓ 55+33=

㉔ 8+91=

㉕ 71+23=

㉖ 73+13=

㉗ 89+1=

㉘ 71+23=

㉙ 73+13=

㉚ 25+74=

㉛ 18+61=

㉜ 32+6=

㉝ 11+81=

㉞ 5+63=

㉟ 76+22=

㊱ 73+11=

㊲ 69+1=

㊳ 23+23=

㊴ 31+33=

㊵ 4+95=

㊶ 41+25=

㊷ 83+16=

㊸ 6+92=

㊹ 24+32=

㊺ 47+12=

㊻ 64+15=

㊼ 43+21=

㊽ 12+85=

㊾ 16+21=

㊿ 25+53=

51 22+16=

52 29+7=

53 13+13=

54 11+24=

55 45+5=

56 74+21=

57 17+22=

58 44+22=

59 9+61=

60 34+5=

61 15+44=

62 18+21=

63 33+45=

64 75+23=

65 62+35=

66 66+22=

67 33+22=

68 9+81=

69 11+44=

70 55+31=

71 34+14=

72 29+6=

73 62+24=

74 21+53=

75 59+2=

76 11+88=

77 75+13=

78 13+5=

79 49+3=

80 45+32=

81 81+16=

82 61+17=

83 39+5=

84 51+14=

85 22+34=

86 4+91=

87 35+12=

88 51+33=

89 34+（　）=92

90 55+（　）=79

91 （　）+19=45

92 （　）+34=82

93 （　）+56=83

94 19+（　）=87

95 21+34=（　）+17

96 41+15=（　）+29

97 23+45=（　）+19

98 18+67=（　）+29

99 25+42=（　）+16

100 42+53=（　）+21

思维拓展

有香蕉、苹果和橘子三种水果。小刚、小林和小红各拿了一种不同的水果。小刚说："每人只吃一种水果,我不吃橘子。"小林说："我既不吃苹果,也不吃橘子。"（　　　　）拿的香蕉,（　　　　）拿的橘子,（　　　　）拿的苹果。

家园互动

点评：对_____题 错_____题 用时：_____

① 92+6=　　　㉖ 11+17=　　　�51 25+61=　　　76 12+11=

② 14+54=　　　㉗ 30+56=　　　52 71+13=　　　77 68+27=

③ 78+11=　　　㉘ 64+14=　　　53 14+75=　　　78 63+13=

④ 18+41=　　　㉙ 51+45=　　　54 11+15=　　　79 15+44=

⑤ 4+83=　　　㉚ 20+29=　　　55 23+26=　　　80 17+11=

⑥ 40+20=　　　㉛ 17+42=　　　56 46+23=　　　81 30+40=

⑦ 31+23=　　　㉜ 56+42=　　　57 11+16=　　　82 16+12=

⑧ 81+14=　　　㉝ 22+17=　　　58 66+11=　　　83 53+21=

⑨ 11+14=　　　㉞ 15+42=　　　59 9+54=　　　84 22+44=

⑩ 11+37=　　　㉟ 63+23=　　　60 85+12=　　　85 34+14=

⑪ 22+45=　　　�36 14+15=　　　61 15+31=　　　86 12+23=

⑫ 15+74=　　　�37 72+22=　　　62 62+16=　　　87 21+71=

⑬ 11+26=　　　�38 6+83=　　　63 16+33=　　　88 61+23=

⑭ 33+46=　　　�39 13+16=　　　64 47+31=　　　89 21+34=(　)+7

⑮ 75+23=　　　�40 22+22=　　　65 54+35=　　　90 14+35=(　)+9

⑯ 84+14=　　　�41 45+33=　　　66 4+93=　　　91 12+49=(　)+3

⑰ 55+24=　　　�42 25+34=　　　67 36+11=　　　92 7+62=(　)+9

⑱ 11+18=　　　�43 4+94=　　　68 53+23=　　　93 16+40=(　)+6

⑲ 42+44=　　　�44 11+13=　　　69 14+35=　　　94 33+51=(　)+4

⑳ 2+86=　　　�45 14+74=　　　70 23+71=　　　95 74+(　)=98

㉑ 10+20=　　　�46 75+13=　　　71 10+17=　　　96 35+(　)=79

㉒ 73+21=　　　�47 18+20=　　　72 21+17=　　　97 (　)+28=29

㉓ 65+31=　　　�48 21+26=　　　73 81+13=　　　98 (　)+46=86

㉔ 68+31=　　　�49 49+1=　　　74 12+13=　　　99 (　)+46=63

㉕ 76+22=　　　㊿ 51+18=　　　75 41+11=　　　100 21+(　)=59

　　　　知识课堂　　　　　　　　　　　　家园互动

　　如果是不规则的尺子,先把尺子上一个整厘
米数的刻度对准物体的左端,再看物体的右端对
着几,用大数减去小数得到几,长度就是几厘米。

点评：对_____题　错_____题　用时：_____

7

_____月_____日 星期____   评分：   真棒！☺   不错！☺   加油！☺

① 86+11=
② 33+65=
③ 32+43=
④ 55+43=
⑤ 56+31=
⑥ 66+12=
⑦ 76+3=
⑧ 87+11=
⑨ 3+46=
⑩ 47+21=
⑪ 73+2=
⑫ 65+31=
⑬ 33+64=
⑭ 87+10=
⑮ 77+12=
⑯ 54+24=
⑰ 67+12=
⑱ 48+5=
⑲ 86+13=
⑳ 7+15=
㉑ 56+21=
㉒ 61+34=
㉓ 55+33=
㉔ 8+91=
㉕ 71+23=

㉖ 73+13=
㉗ 89+1=
㉘ 71+23=
㉙ 73+13=
㉚ 25+74=
㉛ 18+61=
㉜ 32+6=
㉝ 11+81=
㉞ 5+63=
㉟ 76+22=
㊱ 73+11=
㊲ 69+1=
㊳ 23+23=
㊴ 31+33=
㊵ 4+95=
㊶ 41+25=
㊷ 83+16=
㊸ 6+92=
㊹ 24+32=
㊺ 47+12=
㊻ 64+15=
㊼ 43+21=
㊽ 12+85=
㊾ 16+21=
㊿ 25+53=

(51) 22+16=
(52) 29+7=
(53) 13+13=
(54) 11+24=
(55) 45+5=
(56) 74+21=
(57) 17+22=
(58) 44+22=
(59) 9+61=
(60) 34+5=
(61) 15+44=
(62) 18+21=
(63) 33+45=
(64) 75+23=
(65) 62+35=
(66) 66+22=
(67) 33+22=
(68) 9+81=
(69) 11+44=
(70) 55+31=
(71) 34+14=
(72) 29+6=
(73) 62+24=
(74) 21+53=
(75) 59+2=

(76) 11+88=
(77) 75+13=
(78) 13+5=
(79) 49+3=
(80) 45+32=
(81) 81+16=
(82) 61+17=
(83) 39+5=
(84) 51+14=
(85) 22+34=
(86) 4+91=
(87) 35+12=
(88) 51+33=
(89) 32+(　)=92
(90) 59+(　)=74
(91) (　)+21=45
(92) (　)+44=82
(93) (　)+53=83
(94) 27+(　)=87
(95) 31+34=(　)+17
(96) 41+16=(　)+29
(97) 24+42=(　)+19
(98) 19+60=(　)+29
(99) 24+42=(　)+16
⑩⓪ 42+53=(　)+23

思维拓展

　　红红有 3 件上衣，2 条裙子，一共有几种穿法？

家园互动

点评：对_____题 错_____题 用时：_____

8

① 57+21=
② 34+20=
③ 84+15=
④ 28+31=
⑤ 65+30=
⑥ 46+23=
⑦ 15+54=
⑧ 87+12=
⑨ 49+4=
⑩ 36+21=
⑪ 20+30=
⑫ 36+13=
⑬ 12+45=
⑭ 31+37=
⑮ 82+14=
⑯ 26+12=
⑰ 31+30=
⑱ 63+32=
⑲ 51+35=
⑳ 31+42=
㉑ 59+10=
㉒ 8+36=
㉓ 27+41=
㉔ 57+11=
㉕ 65+20=
㉖ 36+22=
㉗ 54+34=
㉘ 85+12=
㉙ 35+35=
㉚ 52+46=
㉛ 13+25=
㉜ 39+3=
㉝ 55+12=
㉞ 41+37=
㉟ 63+34=
㊱ 82+13=
㊲ 56+33=
㊳ 77+12=
㊴ 34+35=
㊵ 26+22=
㊶ 61+30=
㊷ 45+13=
㊸ 63+12=
㊹ 51+15=
㊺ 31+62=
㊻ 59+30=
㊼ 8+35=
㊽ 4+26=
㊾ 22+56=
㊿ 43+44=
(51) 62+6=
(52) 24+53=
(53) 46+13=
(54) 21+26=
(55) 52+34=
(56) 77+21=
(57) 34+33=
(58) 11+50=
(59) 45+23=
(60) 63+22=
(61) 51+25=
(62) 31+52=
(63) 59+20=
(64) 85+3=
(65) 27+31=
(66) 41+26=
(67) 40+40=
(68) 43+16=
(69) 23+15=
(70) 32+64=
(71) 78+21=
(72) 32+14=
(73) 13+23=
(74) 7+91=
(75) 24+33=
(76) 66+22=
(77) 54+4=
(78) 65+12=
(79) 2+92=
(80) 13+26=
(81) 24+63=
(82) 81+14=
(83) 86+12=
(84) 53+16=
(85) 31+64=
(86) 9+54=
(87) 78+11=
(88) 61+23=
(89) (　)+34=41+17
(90) (　)+15=41+29
(91) (　)+45=23+39
(92) (　)+27=18+39
(93) (　)+42=55+16
(94) (　)+53=32+31
(95) 11+34=(　)+19
(96) 43+25=(　)+21
(97) 26+43=(　)+29
(98) 17+57=(　)+18
(99) 24+43=(　)+16
(100) 41+55=(　)+31

知识课堂

量较长的物体用“米”作单位。牢记:1米=100厘米,计算时先统一单位,再计算。如:1米－20厘米=(　　),先想:1米=100厘米,100厘米－20厘米=80厘米。

家园互动

点评:对______题　错______题　用时:__________

_____月_____日 星期_____ 评分: 真棒!☺ 不错!☺ 加油!☺

① 86+13=

② 7+15=

③ 56+21=

④ 61+34=

⑤ 55+33=

⑥ 8+91=

⑦ 71+23=

⑧ 73+13=

⑨ 89+1=

⑩ 71+23=

⑪ 73+13=

⑫ 25+74=

⑬ 18+61=

⑭ 32+6=

⑮ 41+25=

⑯ 83+16=

⑰ 11+24=

⑱ 45+5=

⑲ 74+21=

⑳ 17+22=

㉑ 44+22=

㉒ 9+61=

㉓ 34+5=

㉔ 15+44=

㉕ 18+21=

㉖ 33+45=

㉗ 75+23=

㉘ 62+35=

㉙ 66+22=

㉚ 33+22=

㉛ 29+6=

㉜ 62+24=

㉝ 21+53=

㉞ 59+2=

㉟ 11+88=

㊱ 75+13=

㊲ 13+5=

㊳ 49+3=

㊴ 45+32=

㊵ 81+16=

㊶ 61+17=

㊷ 39+5=

㊸ 51+14=

㊹ 22+34=

㊺ 11+81=

㊻ 5+63=

㊼ 76+22=

㊽ 73+11=

㊾ 69+1=

㊿ 23+23=

(51) 31+33=

(52) 4+95=

(53) 9+81=

(54) 11+44=

(55) 55+31=

(56) 34+14=

(57) 4+91=

(58) 35+12=

(59) 64+15=

(60) 43+21=

(61) 12+85=

(62) 16+21=

(63) 25+53=

(64) 22+16=

(65) 29+7=

(66) 43+43=

(67) 51+33=

(68) 32+43=

(69) 55+43=

(70) 56+31=

(71) 66+12=

(72) 76+3=

(73) 87+11=

(74) 3+46=

(75) 47+21=

(76) 73+2=

(77) 65+31=

(78) 33+64=

(79) 87+10=

(80) 77+12=

(81) 6+92=

(82) 24+32=

(83) 47+12=

(84) 86+11=

(85) 33+65=

(86) 54+24=

(87) 67+12=

(88) 48+5=

(89) (　)+24=41+27

(90) (　)+35=41+19

(91) (　)+55=33+29

(92) (　)+17=18+59

(93) (　)+32=55+26

(94) (　)+43=32+41

(95) 21+34=(　)+29

(96) 33+25=(　)+41

(97) 26+43=(　)+29

(98) 18+37=(　)+26

(99) 25+43=(　)+17

㉒⓪ 41+52=(　)+61

思维拓展

　　学校小会议室,第一排有 4 个座位,往后每一排都比前一排多 2 个座位,最后一排有 12 个座位,这个会议室一共有多少个座位?

家园互动

点评:对_____题 错_____题 用时:_____

100 以内的加法运算(六)

① 26+12=
② 31+30=
③ 63+32=
④ 51+35=
⑤ 31+42=
⑥ 59+10=
⑦ 8+36=
⑧ 27+41=
⑨ 57+11=
⑩ 65+20=
⑪ 36+22=
⑫ 54+34=
⑬ 85+12=
⑭ 35+35=
⑮ 52+46=
⑯ 13+25=
⑰ 39+3=
⑱ 55+12=
⑲ 41+37=
⑳ 63+34=
㉑ 82+13=
㉒ 56+33=
㉓ 77+12=
㉔ 34+35=
㉕ 26+22=

㉖ 61+30=
㉗ 45+13=
㉘ 63+12=
㉙ 51+15=
㉚ 31+62=
㉛ 59+30=
㉜ 8+35=
㉝ 4+26=
㉞ 22+56=
㉟ 43+44=
㊱ 57+21=
㊲ 34+20=
㊳ 84+15=
㊴ 28+31=
㊵ 65+30=
㊶ 46+23=
㊷ 15+54=
㊸ 87+12=
㊹ 49+4=
㊺ 36+21=
㊻ 20+30=
㊼ 36+13=
㊽ 12+45=
㊾ 31+37=
㊿ 82+14=

(51) 41+26=
(52) 40+40=
(53) 43+16=
(54) 23+15=
(55) 32+64=
(56) 78+21=
(57) 32+14=
(58) 13+23=
(59) 7+91=
(60) 24+33=
(61) 66+22=
(62) 54+4=
(63) 65+12=
(64) 2+92=
(65) 13+26=
(66) 24+63=
(67) 81+14=
(68) 86+12=
(69) 53+16=
(70) 31+64=
(71) 9+54=
(72) 78+11=
(73) 61+23=
(74) 62+6=
(75) 24+53=

(76) 46+13=
(77) 21+26=
(78) 52+34=
(79) 77+21=
(80) 34+33=
(81) 11+50=
(82) 45+23=
(83) 63+22=
(84) 51+25=
(85) 31+52=
(86) 59+20=
(87) 85+3=
(88) 27+31=
(89) (　)+32=42+17
(90) (　)+15=31+39
(91) (　)+45=21+39
(92) (　)+37=18+39
(93) (　)+41=45+16
(94) (　)+53=32+41
(95) 15+34=(　)+19
(96) 43+25=(　)+26
(97) 26+43=(　)+23
(98) 15+57=(　)+18
(99) 24+43=(　)+26
(100) 41+55=(　)+51

知识课堂

单位不同的几个数比较大小时,要先统一单位,再来比较。

1 米 (>) 99 厘米

单位不统一,先将 1 米换算成 100 厘米,所以 100 厘米 > 99 厘米。

家园互动

点评:对______题　错______题　用时:__________

______月______日 星期______ 评分： 真棒！☺ 不错！☺ 加油！☺

① 77+12=
② 6+92=
③ 24+32=
④ 47+12=
⑤ 86+11=
⑥ 33+65=
⑦ 54+24=
⑧ 67+12=
⑨ 48+5=
⑩ 86+13=
⑪ 7+15=
⑫ 56+21=
⑬ 61+34=
⑭ 55+33=
⑮ 8+91=
⑯ 71+23=
⑰ 73+13=
⑱ 89+1=
⑲ 71+23=
⑳ 73+13=
㉑ 25+74=
㉒ 18+61=
㉓ 32+6=
㉔ 41+25=
㉕ 83+16=
㉖ 11+24=
㉗ 45+5=
㉘ 74+21=
㉙ 17+22=
㉚ 44+22=
㉛ 9+61=
㉜ 34+5=
㉝ 15+44=
㉞ 18+21=
㉟ 33+45=
㊱ 75+23=
㊲ 62+35=
㊳ 51+33=
㊴ 32+43=
㊵ 55+43=
㊶ 56+31=
㊷ 66+12=
㊸ 76+3=
㊹ 87+11=
㊺ 3+46=
㊻ 47+21=
㊼ 73+2=
㊽ 65+31=
㊾ 33+64=
㊿ 87+10=
(51) 76+22=
(52) 73+11=
(53) 69+1=
(54) 23+23=
(55) 31+33=
(56) 4+95=
(57) 9+81=
(58) 11+44=
(59) 55+31=
(60) 34+14=
(61) 4+91=
(62) 35+12=
(63) 64+15=
(64) 43+21=
(65) 12+85=
(66) 16+21=
(67) 25+53=
(68) 22+16=
(69) 29+7=
(70) 43+43=
(71) 66+22=
(72) 33+22=
(73) 29+6=
(74) 62+24=
(75) 21+53=
(76) 59+2=
(77) 11+88=
(78) 75+13=
(79) 13+5=
(80) 49+3=
(81) 45+32=
(82) 81+16=
(83) 61+17=
(84) 39+5=
(85) 51+14=
(86) 22+34=
(87) 11+81=
(88) 5+63=
(89) (　)+34=41+27
(90) (　)+15=41+19
(91) (　)+25=43+29
(92) (　)+17=28+49
(93) (　)+22=35+26
(94) (　)+53=32+41
(95) 31+34=(　)+29
(96) 23+25=(　)+31
(97) 26+43=(　)+29
(98) 28+37=(　)+26
(99) 25+13=(　)+17
(100) 41+42=(　)+61

思维拓展

有 28 个红球，16 个黄球，每 4 个球装一盒，红球比黄球多装几盒？

家园互动

点评：对______题 错______题 用时：__________

① 87+10=
② 77+12=
③ 54+24=
④ 67+12=
⑤ 48+5=
⑥ 86+13=
⑦ 7+15=
⑧ 56+21=
⑨ 61+34=
⑩ 55+33=
⑪ 8+91=
⑫ 71+23=
⑬ 73+13=
⑭ 89+1=
⑮ 71+23=
⑯ 45+5=
⑰ 74+21=
⑱ 17+22=
⑲ 44+22=
⑳ 9+61=
㉑ 34+5=
㉒ 15+44=
㉓ 18+21=
㉔ 33+45=
㉕ 75+23=

㉖ 62+35=
㉗ 25+74=
㉘ 18+61=
㉙ 32+6=
㉚ 11+81=
㉛ 5+63=
㉜ 76+22=
㉝ 73+11=
㉞ 69+1=
㉟ 23+23=
㊱ 31+33=
㊲ 4+95=
㊳ 41+25=
㊴ 83+16=
㊵ 6+92=
㊶ 73+13=
㊷ 24+32=
㊸ 47+12=
㊹ 64+15=
㊺ 43+21=
㊻ 12+85=
㊼ 16+21=
㊽ 25+53=
㊾ 22+16=
㊿ 29+7=

51 13+13=
52 11+24=
53 47+21=
54 73+2=
55 66+22=
56 33+22=
57 9+81=
58 11+44=
59 55+31=
60 34+14=
61 29+6=
62 62+24=
63 21+53=
64 59+2=
65 65+31=
66 33+64=
67 11+88=
68 75+13=
69 13+5=
70 49+3=
71 45+32=
72 81+16=
73 61+17=
74 39+5=
75 51+14=

76 22+34=
77 4+91=
78 35+12=
79 51+33=
80 86+11=
81 33+65=
82 32+43=
83 55+43=
84 56+31=
85 66+12=
86 76+3=
87 87+11=
88 3+46=
89 26+43=( )+29
90 17+57=( )+18
91 24+43=( )+16
92 41+55=( )+31
93 ( )+34=41+17
94 ( )+15=41+29
95 ( )+45=23+29
96 ( )+27=18+39
97 ( )+42=55+16
98 ( )+53=32+31
99 11+34=( )+19
100 43+25=( )+21

家园互动

1
4 2
3

按照顺序数一数,可知上面图形有 4 条线段围成。

点评:对_____题 错_____题 用时:_____

· 13 ·

第 14 天 计时测评

______月______日 星期_____ 评分: 真棒! 不错! 加油!

① 82+5=
② 23+75=
③ 35+21=
④ 76+22=
⑤ 57+11=
⑥ 64+14=
⑦ 53+21=
⑧ 43+41=
⑨ 18+20=
⑩ 50+40=
⑪ 61+8=
⑫ 14+81=
⑬ 49+5=
⑭ 42+22=
⑮ 51+20=
⑯ 24+63=
⑰ 22+67=
⑱ 10+50=
⑲ 59+3=
⑳ 85+11=
㉑ 23+73=
㉒ 55+20=
㉓ 82+3=
㉔ 74+11=
㉕ 22+75=

㉖ 84+13=
㉗ 12+34=
㉘ 2+97=
㉙ 23+13=
㉚ 41+36=
㉛ 62+13=
㉜ 12+83=
㉝ 22+44=
㉞ 9+15=
㉟ 13+81=
㊱ 31+20=
㊲ 4+92=
㊳ 65+4=
㊴ 13+72=
㊵ 12+85=
㊶ 22+73=
㊷ 55+30=
㊸ 82+4=
㊹ 74+21=
㊺ 32+54=
㊻ 11+83=
㊼ 62+12=
㊽ 41+42=
㊾ 23+12=
㊿ 69+1=

(51) 27+31=
(52) 30+49=
(53) 22+42=
(54) 12+67=
(55) 63+23=
(56) 66+33=
(57) 71+10=
(58) 24+15=
(59) 42+21=
(60) 4+94=
(61) 12+81=
(62) 61+7=
(63) 31+54=
(64) 22+43=
(65) 14+83=
(66) 62+11=
(67) 68+21=
(68) 35+11=
(69) 86+3=
(70) 30+21=
(71) 30+40=
(72) 91+7=
(73) 42+52=
(74) 26+53=
(75) 47+30=

(76) 4+93=
(77) 41+56=
(78) 62+15=
(79) 13+83=
(80) 61+4=
(81) 11+81=
(82) 63+25=
(83) 32+67=
(84) 23+72=
(85) 13+85=
(86) 21+72=
(87) 14+85=
(88) 54+20=
(89) 26+44=( )+29
(90) 17+53=( )+18
(91) 27+43=( )+26
(92) 41+53=( )+32
(93) ( )+24=41+17
(94) ( )+25=41+29
(95) ( )+41=31+19
(96) ( )+22=18+39
(97) ( )+42=55+16
(98) ( )+51=39+31
(99) 21+24=( )+11
(100) 45+25=( )+21

思维拓展

小林家有一只母鸡,每天生 1 个蛋。他家原有 8 个蛋。如果小林每天吃 2 个蛋,可以连着吃几天?

家园互动

点评:对______题 错______题 用时:__________

100以内的加法运算(八)

① 11+88=
② 75+13=
③ 13+5=
④ 49+3=
⑤ 45+32=
⑥ 81+16=
⑦ 61+17=
⑧ 39+5=
⑨ 51+14=
⑩ 22+34=
⑪ 4+91=
⑫ 35+12=
⑬ 51+33=
⑭ 86+11=
⑮ 33+65=
⑯ 32+43=
⑰ 55+43=
⑱ 56+31=
⑲ 66+12=
⑳ 76+3=
㉑ 87+11=
㉒ 3+46=
㉓ 87+10=
㉔ 77+12=
㉕ 54+24=

㉖ 67+12=
㉗ 48+5=
㉘ 86+13=
㉙ 7+15=
㉚ 56+21=
㉛ 61+34=
㉜ 55+33=
㉝ 8+91=
㉞ 71+23=
㉟ 73+13=
㊱ 89+1=
㊲ 71+23=
㊳ 45+5=
㊴ 74+21=
㊵ 17+22=
㊶ 44+22=
㊷ 9+61=
㊸ 34+5=
㊹ 15+44=
㊺ 18+21=
㊻ 33+45=
㊼ 75+23=
㊽ 62+35=
㊾ 25+74=
㊿ 18+61=

(51) 32+6=
(52) 11+81=
(53) 5+63=
(54) 76+22=
(55) 73+11=
(56) 69+1=
(57) 23+23=
(58) 31+33=
(59) 4+95=
(60) 41+25=
(61) 83+16=
(62) 6+92=
(63) 73+13=
(64) 24+32=
(65) 47+12=
(66) 64+15=
(67) 43+21=
(68) 12+85=
(69) 16+21=
(70) 25+53=
(71) 22+16=
(72) 29+7=
(73) 13+13=
(74) 11+24=
(75) 47+21=

(76) 73+2=
(77) 66+22=
(78) 33+22=
(79) 9+81=
(80) 11+44=
(81) 55+31=
(82) 34+14=
(83) 29+6=
(84) 62+24=
(85) 21+53=
(86) 59+2=
(87) 65+31=
(88) 33+64=
(89) 26+43=( )+29
(90) 17+57=( )+18
(91) 24+43=( )+16
(92) 41+55=( )+31
(93) ( )+34=41+17
(94) ( )+15=41+29
(95) ( )+45=23+29
(96) ( )+27=18+39
(97) ( )+42=55+16
(98) ( )+53=32+31
(99) 11+34=( )+19
(100) 43+25=( )+21

知识课堂

两位数加一位数(不进位)的计算方法:(1)相同的数位对齐,即把一位数同两位数的个位上的数对齐。(2)先把个位上的数相加,写在得数的个位上,再把十位上的数落下来,写在得数的十位上。

家园互动

点评:对______题 错______题 用时:__________

① 68+21=	㉖ 76+22=	(51) 74+21=	(76) 62+13=
② 35+11=	㉗ 57+11=	(52) 32+54=	(77) 12+83=
③ 86+3=	㉘ 64+14=	(53) 11+83=	(78) 22+44=
④ 30+21=	㉙ 53+21=	(54) 62+12=	(79) 9+15=
⑤ 30+40=	㉚ 43+41=	(55) 41+42=	(80) 13+81=
⑥ 91+7=	㉛ 18+20=	(56) 23+12=	(81) 31+20=
⑦ 42+52=	㉜ 50+40=	(57) 69+1=	(82) 4+92=
⑧ 26+53=	㉝ 61+8=	(58) 27+31=	(83) 65+4=
⑨ 47+30=	㉞ 14+81=	(59) 30+49=	(84) 13+72=
⑩ 4+93=	㉟ 49+5=	(60) 22+42=	(85) 12+85=
⑪ 41+56=	㊱ 42+22=	(61) 12+67=	(86) 22+73=
⑫ 62+15=	㊲ 51+20=	(62) 63+23=	(87) 55+30=
⑬ 13+83=	㊳ 24+63=	(63) 66+33=	(88) 82+4=
⑭ 61+4=	㊴ 22+67=	(64) 71+10=	(89) 26+43=(　)+29
⑮ 11+81=	㊵ 10+50=	(65) 24+15=	(90) 27+53=(　)+12
⑯ 63+25=	㊶ 59+3=	(66) 42+21=	(91) 17+53=(　)+46
⑰ 32+67=	㊷ 85+11=	(67) 4+94=	(92) 41+53=(　)+34
⑱ 23+72=	㊸ 23+73=	(68) 12+81=	(93) (　)+23=41+18
⑲ 13+85=	㊹ 55+20=	(69) 61+7=	(94) (　)+25=41+29
⑳ 21+72=	㊺ 82+3=	(70) 31+54=	(95) (　)+41=31+19
㉑ 14+85=	㊻ 74+11=	(71) 22+43=	(96) (　)+42=18+39
㉒ 54+20=	㊼ 22+75=	(72) 14+83=	(97) (　)+22=53+16
㉓ 82+5=	㊽ 84+13=	(73) 62+11=	(98) (　)+51=39+31
㉔ 23+75=	㊾ 12+34=	(74) 23+13=	(99) 31+34=(　)+11
㉕ 35+21=	㊿ 3+97=	(75) 41+36=	(100) 45+15=(　)+21

思维拓展

在○里填上合适的＋、－号，并把3、4、5、6填到□里使算式成立。

□○□○□○□＝2

家园互动

点评：对______题　错______题　用时：__________

100 以内的加法运算(九)

① 85+12=

② 35+35=

③ 52+46=

④ 13+25=

⑤ 39+3=

⑥ 55+12=

⑦ 41+37=

⑧ 63+34=

⑨ 82+13=

⑩ 56+33=

⑪ 77+12=

⑫ 34+35=

⑬ 26+22=

⑭ 61+30=

⑮ 45+13=

⑯ 63+12=

⑰ 51+15=

⑱ 31+62=

⑲ 59+30=

⑳ 8+35=

㉑ 4+26=

㉒ 22+56=

㉓ 43+44=

㉔ 57+21=

㉕ 34+20=

㉖ 84+15=

㉗ 28+31=

㉘ 65+30=

㉙ 46+23=

㉚ 15+54=

㉛ 87+12=

㉜ 49+4=

㉝ 36+21=

㉞ 20+30=

㉟ 36+13=

㊱ 12+45=

㊲ 31+37=

㊳ 82+14=

㊴ 26+12=

㊵ 31+30=

㊶ 63+32=

㊷ 51+35=

㊸ 31+42=

㊹ 59+10=

㊺ 8+36=

㊻ 27+41=

㊼ 57+11=

㊽ 65+20=

㊾ 36+22=

㊿ 54+34=

(51) 2+92=

(52) 13+26=

(53) 24+63=

(54) 81+14=

(55) 86+12=

(56) 53+16=

(57) 31+64=

(58) 9+54=

(59) 78+11=

(60) 45+23=

(61) 63+22=

(62) 51+25=

(63) 31+52=

(64) 59+20=

(65) 85+3=

(66) 27+31=

(67) 41+26=

(68) 40+40=

(69) 43+16=

(70) 23+15=

(71) 32+64=

(72) 78+21=

(73) 32+14=

(74) 13+23=

(75) 7+91=

(76) 24+33=

(77) 66+22=

(78) 54+4=

(79) 65+12=

(80) 61+23=

(81) 62+6=

(82) 24+53=

(83) 46+13=

(84) 21+26=

(85) 52+34=

(86) 77+21=

(87) 34+33=

(88) 11+50=

(89) (　　)+22=42+37

(90) (　　)+25=41+39

(91) (　　)+35=21+39

(92) (　　)+27=18+39

(93) (　　)+31=45+16

(94) (　　)+43=32+51

(95) 25+14=(　　)+19

(96) 43+25=(　　)+26

(97) 36+43=(　　)+13

(98) 15+47=(　　)+28

(99) 24+43=(　　)+26

(100) 41+35=(　　)+51

知识课堂

相同数位对齐,个位 3 + 3 = 6,十位上 5 落下来,所以得数为 56。

$$\begin{array}{r} 5\quad 3 \\ +\qquad 3 \\ \hline 5\quad 6 \end{array}$$

家园互动

点评:对______题　错______题　用时:__________

第 18 天 计时测评

______月______日 星期______ 评分: 真棒!☺ 不错!☺ 加油!☺

① 21+34=
② 93+5=
③ 24+6=
④ 9+91=
⑤ 51+8=
⑥ 8+47=
⑦ 36+49=
⑧ 79+11=
⑨ 9+54=
⑩ 21+7=
⑪ 9+16=
⑫ 81+6=
⑬ 5+89=
⑭ 38+5=
⑮ 28+6=
⑯ 45+8=
⑰ 19+13=
⑱ 12+61=
⑲ 31+38=
⑳ 4+53=
㉑ 57+23=
㉒ 89+2=
㉓ 28+24=
㉔ 38+16=
㉕ 2+41=

㉖ 71+14=
㉗ 69+15=
㉘ 51+43=
㉙ 14+68=
㉚ 22+38=
㉛ 49+50=
㉜ 94+6=
㉝ 5+84=
㉞ 44+8=
㉟ 81+9=
㊱ 27+9=
㊲ 43+25=
㊳ 13+25=
㊴ 27+49=
㊵ 33+36=
㊶ 21+14=
㊷ 54+16=
㊸ 35+26=
㊹ 25+6=
㊺ 7+68=
㊻ 41+53=
㊼ 37+6=
㊽ 9+62=
㊾ 8+87=
㊿ 42+3=

(51) 22+27=
(52) 58+26=
(53) 26+15=
(54) 32+49=
(55) 52+46=
(56) 78+9=
(57) 25+33=
(58) 37+54=
(59) 68+19=
(60) 89+3=
(61) 57+9=
(62) 9+28=
(63) 21+5=
(64) 9+71=
(65) 43+37=
(66) 37+9=
(67) 34+8=
(68) 26+57=
(69) 27+55=
(70) 39+24=
(71) 64+19=
(72) 9+82=
(73) 12+59=
(74) 62+25=
(75) 7+36=

(76) 8+85=
(77) 24+28=
(78) 12+34=
(79) 48+5=
(80) 19+41=
(81) 9+72=
(82) 2+93=
(83) 47+3=
(84) 72+9=
(85) 32+49=
(86) 7+76=
(87) 46+41=
(88) 32+59=
(89) 48+(　　)=98
(90) 31+(　　)=65
(91) (　　)+16=83
(92) (　　)+62=81
(93) (　　)+27=63
(94) 42+(　　)=59
(95) 18+24=(　　)+5
(96) 38+26=(　　)+9
(97) 22+49=(　　)+7
(98) 17+76=(　　)+5
(99) 49+41=(　　)+6
(100) 32+39=(　　)+5

思维拓展

把 7、8、9、10、11、12 填在下面的括号里,使等式成立。

(　　)+(　　)=(　　)+(　　)=(　　)+(　　)

家园互动

点评:对______题 错______题 用时:__________

① 23+13=

② 41+36=

③ 62+13=

④ 12+83=

⑤ 22+44=

⑥ 9+15=

⑦ 13+81=

⑧ 31+20=

⑨ 68+21=

⑩ 35+11=

⑪ 86+3=

⑫ 76+22=

⑬ 57+11=

⑭ 64+14=

⑮ 53+21=

⑯ 43+41=

⑰ 18+20=

⑱ 30+21=

⑲ 30+40=

⑳ 91+7=

㉑ 42+52=

㉒ 26+53=

㉓ 47+30=

㉔ 4+93=

㉕ 12+85=

㉖ 22+73=

㉗ 55+30=

㉘ 82+4=

㉙ 74+21=

㉚ 32+54=

㉛ 11+83=

㉜ 62+12=

㉝ 41+42=

㉞ 23+12=

㉟ 69+1=

㊱ 27+31=

㊲ 30+49=

㊳ 22+42=

㊴ 12+67=

㊵ 63+23=

㊶ 66+33=

㊷ 71+10=

㊸ 24+15=

㊹ 42+21=

㊺ 4+94=

㊻ 12+81=

㊼ 61+7=

㊽ 31+54=

㊾ 22+43=

㊿ 14+83=

51 62+11=

52 22+67=

53 10+50=

54 59+3=

55 85+11=

56 23+73=

57 4+92=

58 65+4=

59 13+72=

60 55+20=

61 82+3=

62 74+11=

63 22+75=

64 84+13=

65 12+34=

66 2+97=

67 41+56=

68 62+15=

69 13+83=

70 61+4=

71 11+81=

72 63+25=

73 32+67=

74 23+72=

75 13+85=

76 21+72=

77 14+85=

78 54+20=

79 82+5=

80 23+75=

81 35+21=

82 50+40=

83 61+8=

84 14+81=

85 49+5=

86 42+22=

87 51+20=

88 24+63=

89 ( )+25=41+27

90 ( )+34=41+19

91 ( )+59=39+29

92 ( )+17=18+59

93 ( )+32=55+26

94 ( )+42=34+41

95 22+44=( )+29

96 33+25=( )+41

97 16+43=( )+29

98 13+37=( )+26

99 25+45=( )+17

100 41+52=( )+61

知识课堂

$$25 + 14 = 39$$

把25分成20和5,14分成10和4,先把十位上的数相加再把个位上的数相加,最后两和相加。

20 5 10 4
30 9

家园互动

点评:对_____题 错_____题 用时:_____

19

______月______日　星期______　　评分：真棒！☺　不错！☺　加油！☺

① 42+22=
② 51+20=
③ 24+63=
④ 23+13=
⑤ 41+36=
⑥ 62+13=
⑦ 12+83=
⑧ 22+44=
⑨ 9+15=
⑩ 13+81=
⑪ 31+20=
⑫ 68+21=
⑬ 35+11=
⑭ 86+3=
⑮ 76+22=
⑯ 57+11=
⑰ 64+14=
⑱ 53+21=
⑲ 43+41=
⑳ 18+20=
㉑ 30+21=
㉒ 30+40=
㉓ 91+7=
㉔ 42+52=
㉕ 26+53=
㉖ 47+30=
㉗ 4+93=
㉘ 12+85=
㉙ 22+73=
㉚ 55+30=
㉛ 82+4=
㉜ 41+56=
㉝ 62+15=
㉞ 13+83=
㉟ 61+4=
㊱ 11+81=
㊲ 63+25=
㊳ 32+67=
㊴ 23+72=
㊵ 13+85=
㊶ 21+72=
㊷ 14+85=
㊸ 54+20=
㊹ 82+5=
㊺ 23+75=
㊻ 35+21=
㊼ 50+40=
㊽ 61+8=
㊾ 14+81=
㊿ 49+5=
(51) 61+7=
(52) 31+54=
(53) 22+43=
(54) 14+83=
(55) 62+11=
(56) 22+67=
(57) 10+50=
(58) 59+3=
(59) 85+11=
(60) 23+73=
(61) 4+92=
(62) 65+4=
(63) 13+72=
(64) 55+20=
(65) 82+3=
(66) 74+11=
(67) 22+75=
(68) 84+13=
(69) 12+34=
(70) 5+87=
(71) 74+21=
(72) 32+54=
(73) 11+83=
(74) 62+12=
(75) 41+42=
(76) 23+12=
(77) 69+1=
(78) 27+31=
(79) 30+49=
(80) 22+42=
(81) 12+67=
(82) 63+23=
(83) 66+33=
(84) 71+10=
(85) 24+15=
(86) 42+21=
(87) 4+94=
(88) 12+81=
(89) (　　)+15=31+27
(90) (　　)+34=51+19
(91) (　　)+49=39+19
(92) (　　)+27=28+59
(93) (　　)+12=55+16
(94) (　　)+42=34+41
(95) 32+44=(　　)+39
(96) 23+25=(　　)+31
(97) 16+43=(　　)+49
(98) 23+37=(　　)+36
(99) 15+45=(　　)+27
(100) 40+52=(　　)+61

思维拓展

下图中一共有几个三角形？

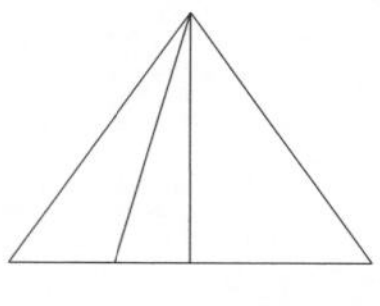

家园互动

点评：对______题　错______题　用时：__________

① 65+13=

② 68+11=

③ 4+91=

④ 87+10=

⑤ 78+11=

⑥ 74+14=

⑦ 14+85=

⑧ 3+76=

⑨ 41+23=

⑩ 54+13=

⑪ 25+44=

⑫ 37+21=

⑬ 45+20=

⑭ 32+17=

⑮ 20+26=

⑯ 12+30=

⑰ 47+22=

⑱ 16+73=

⑲ 33+12=

⑳ 13+43=

㉑ 66+21=

㉒ 73+12=

㉓ 21+18=

㉔ 30+6=

㉕ 4+93=

㉖ 50+16=

㉗ 30+37=

㉘ 64+15=

㉙ 37+42=

㉚ 24+35=

㉛ 60+33=

㉜ 6+82=

㉝ 23+61=

㉞ 13+71=

㉟ 5+84=

㊱ 21+16=

㊲ 53+23=

㊳ 34+44=

㊴ 53+14=

㊵ 74+23=

㊶ 85+13=

㊷ 4+94=

㊸ 75+14=

㊹ 41+22=

㊺ 31+56=

㊻ 17+22=

㊼ 15+24=

㊽ 63+15=

㊾ 31+28=

㊿ 23+26=

51 16+52=

52 21+34=

53 7+91=

54 83+15=

55 42+31=

56 23+62=

57 12+25=

58 36+52=

59 82+14=

60 5+92=

61 26+71=

62 81+16=

63 25+31=

64 69+1=

65 71+26=

66 35+44=

67 55+13=

68 86+12=

69 3+95=

70 24+67=

71 46+30=

72 45+23=

73 57+21=

74 48+11=

75 84+10=

76 73+12=

77 72+20=

78 63+25=

79 53+34=

80 51+21=

81 38+31=

82 34+45=

83 47+20=

84 29+6=

85 36+22=

86 58+21=

87 54+12=

88 5+53=

89 （　　）+34=41+17

90 （　　）+15=41+29

91 （　　）+45=23+49

92 （　　）+27=18+39

93 （　　）+42=55+16

94 （　　）+53=32+31

95 11+34=（　　）+19

96 43+25=（　　）+21

97 26+43=（　　）+29

98 17+57=（　　）+18

99 24+43=（　　）+16

100 41+55=（　　）+31

知识课堂

两位数加两位数(进位)，可以采用拆分的方法计算，即可将两个加数都拆成整十数与一位数，先把整十数与整十数相加，一位数与一位数相加，再把两个和相加。

家园互动

点评：对_____题　错_____题　用时：_____

______月______日 星期______ 评分: 真棒!☺ 不错!☺ 加油!☹

① 21+34=

② 7+91=

③ 83+15=

④ 42+31=

⑤ 71+26=

⑥ 35+44=

⑦ 55+13=

⑧ 86+12=

⑨ 3+95=

⑩ 24+67=

⑪ 46+30=

⑫ 45+23=

⑬ 57+21=

⑭ 48+11=

⑮ 84+10=

⑯ 73+12=

⑰ 72+20=

⑱ 63+25=

⑲ 53+34=

⑳ 51+21=

㉑ 38+31=

㉒ 34+45=

㉓ 47+20=

㉔ 29+6=

㉕ 36+22=

㉖ 58+21=

㉗ 54+12=

㉘ 5+53=

㉙ 65+13=

㉚ 68+11=

㉛ 4+91=

㉜ 87+10=

㉝ 78+11=

㉞ 74+14=

㉟ 14+85=

㊱ 3+76=

㊲ 41+23=

㊳ 54+13=

㊴ 25+44=

㊵ 31+56=

㊶ 17+22=

㊷ 15+24=

㊸ 63+15=

㊹ 31+28=

㊺ 23+26=

㊻ 16+52=

㊼ 20+26=

㊽ 12+30=

㊾ 47+22=

㊿ 16+73=

(51) 33+12=

(52) 13+43=

(53) 66+21=

(54) 73+12=

(55) 21+18=

(56) 30+6=

(57) 4+93=

(58) 50+16=

(59) 30+37=

(60) 64+15=

(61) 37+42=

(62) 37+21=

(63) 45+20=

(64) 32+17=

(65) 24+35=

(66) 60+33=

(67) 6+82=

(68) 23+61=

(69) 13+71=

(70) 5+84=

(71) 21+16=

(72) 53+23=

(73) 34+44=

(74) 53+14=

(75) 74+23=

(76) 85+13=

(77) 4+94=

(78) 75+14=

(79) 41+22=

(80) 23+62=

(81) 12+25=

(82) 36+52=

(83) 82+14=

(84) 5+92=

(85) 26+71=

(86) 81+16=

(87) 25+31=

(88) 69+1=

(89) 24+20 □ 34+12

(90) 56+28 □ 61+29

(91) 21+29 □ 36+24

(92) 38+46 □ 44+36

(93) 77+18 □ 71+19

(94) 44+36 □ 55+26

(95) 22+21 □ 36+6

(96) 72+12 □ 49+22

(97) 36+26 □ 54+8

(98) 33+28 □ 41+21

(99) 48+22 □ 52+19

(100) 27+27 □ 33+28

思维拓展

小红给小华出了一道数学成语题：1,2,5,6,7,8,9,10，打一成语。你能帮助小华猜出这是什么成语吗？

家园互动

点评：对______题 错______题 用时：__________

100 以内的加法运算(十三)

① 65+13=
② 68+11=
③ 4+91=
④ 87+10=
⑤ 78+11=
⑥ 74+14=
⑦ 14+85=
⑧ 3+76=
⑨ 41+23=
⑩ 54+13=
⑪ 25+44=
⑫ 37+21=
⑬ 45+20=
⑭ 32+17=
⑮ 20+26=
⑯ 12+30=
⑰ 47+22=
⑱ 16+73=
⑲ 33+12=
⑳ 13+43=
㉑ 66+21=
㉒ 73+12=
㉓ 21+18=
㉔ 30+6=
㉕ 4+93=

㉖ 50+16=
㉗ 30+37=
㉘ 64+15=
㉙ 37+42=
㉚ 24+35=
㉛ 60+33=
㉜ 6+82=
㉝ 23+61=
㉞ 13+71=
㉟ 5+84=
㊱ 21+16=
㊲ 53+23=
㊳ 34+44=
㊴ 53+14=
㊵ 74+23=
㊶ 85+13=
㊷ 4+94=
㊸ 75+14=
㊹ 41+22=
㊺ 31+56=
㊻ 17+22=
㊼ 15+24=
㊽ 63+15=
㊾ 31+28=
㊿ 23+26=

(51) 16+52=
(52) 21+34=
(53) 7+91=
(54) 83+15=
(55) 42+31=
(56) 23+62=
(57) 12+25=
(58) 36+52=
(59) 82+14=
(60) 5+92=
(61) 26+71=
(62) 81+16=
(63) 25+31=
(64) 69+1=
(65) 71+26=
(66) 35+44=
(67) 55+13=
(68) 86+12=
(69) 3+95=
(70) 24+67=
(71) 46+30=
(72) 45+23=
(73) 57+21=
(74) 48+11=
(75) 84+10=

(76) 73+12=
(77) 72+20=
(78) 63+25=
(79) 53+34=
(80) 51+21=
(81) 38+31=
(82) 34+45=
(83) 47+20=
(84) 29+6=
(85) 36+22=
(86) 58+21=
(87) 54+12=
(88) 5+53=
(89) (   )+34=41+17
(90) (   )+15=41+29
(91) (   )+45=23+49
(92) (   )+27=18+39
(93) (   )+42=55+16
(94) (   )+53=32+31
(95) 11+34=(   )+19
(96) 43+25=(   )+21
(97) 26+43=(   )+29
(98) 17+57=(   )+18
(99) 24+43=(   )+16
(100) 41+55=(   )+31

知识课堂

笔算两位数加两位数或一位数进位加法时，相同的数位对齐，个位相加满十，要向十位进“1”，十位数字相加时，千万要记着加上个位的进位“1”。

家园互动

点评：对______题　错______题　用时：__________

______月______日 星期_____ 评分：真棒！☺ 不错！☺ 加油！☹

① 63+12=
② 51+15=
③ 31+62=
④ 59+30=
⑤ 8+35=
⑥ 4+26=
⑦ 22+56=
⑧ 43+44=
⑨ 57+21=
⑩ 34+20=
⑪ 84+15=
⑫ 28+31=
⑬ 65+30=
⑭ 46+23=
⑮ 15+54=
⑯ 87+12=
⑰ 49+4=
⑱ 36+21=
⑲ 20+30=
⑳ 36+13=
㉑ 12+45=
㉒ 31+37=
㉓ 82+14=
㉔ 26+12=
㉕ 31+30=
㉖ 63+32=
㉗ 51+35=
㉘ 31+42=
㉙ 59+10=
㉚ 8+36=
㉛ 27+41=
㉜ 57+11=
㉝ 65+20=
㉞ 36+22=
㉟ 54+34=
㊱ 85+12=
㊲ 35+35=
㊳ 52+46=
㊴ 13+25=
㊵ 39+3=
㊶ 55+12=
㊷ 41+37=
㊸ 63+34=
㊹ 82+13=
㊺ 56+33=
㊻ 77+12=
㊼ 34+35=
㊽ 26+22=
㊾ 61+30=
㊿ 45+13=
(51) 31+52=
(52) 59+20=
(53) 85+3=
(54) 27+31=
(55) 41+26=
(56) 40+40=
(57) 43+16=
(58) 23+15=
(59) 32+64=
(60) 78+21=
(61) 32+14=
(62) 13+23=
(63) 7+91=
(64) 24+33=
(65) 66+22=
(66) 54+4=
(67) 65+12=
(68) 61+23=
(69) 62+6=
(70) 24+53=
(71) 46+13=
(72) 21+26=
(73) 52+34=
(74) 77+21=
(75) 34+33=
(76) 11+50=
(77) 6+92=
(78) 13+26=
(79) 24+63=
(80) 81+14=
(81) 86+12=
(82) 53+16=
(83) 31+64=
(84) 9+54=
(85) 78+11=
(86) 45+23=
(87) 63+22=
(88) 51+25=
(89) (　)+32=42+37
(90) (　)+45=41+39
(91) (　)+25=21+39
(92) 24+43=(　)+26
(93) 41+35=(　)+51
(94) (　)+27=18+39
(95) (　)+31=45+16
(96) (　)+43=32+51
(97) 25+14=(　)+19
(98) 43+25=(　)+26
(99) 36+43=(　)+13
(100) 15+47=(　)+28

思维拓展

有 100 名运动员参加长跑比赛，他们身上贴着“1”~“100”的号码，号码上数字“7”共出现多少次？

家园互动

点评：对______题 错______题 用时：__________

100 以内的加法运算(十四)

① 44+46=

② 36+35=

③ 44+38=

④ 52+39=

⑤ 76+8=

⑥ 53+27=

⑦ 18+44=

⑧ 33+19=

⑨ 63+28=

⑩ 44+26=

⑪ 17+26=

⑫ 42+29=

⑬ 77+13=

⑭ 36+46=

⑮ 43+28=

⑯ 64+29=

⑰ 77+19=

⑱ 38+35=

⑲ 24+28=

⑳ 33+8=

㉑ 63+18=

㉒ 43+38=

㉓ 44+6=

㉔ 17+25=

㉕ 42+49=

㉖ 77+15=

㉗ 55+6=

㉘ 72+19=

㉙ 24+17=

㉚ 62+9=

㉛ 24+19=

㉜ 38+24=

㉝ 55+36=

㉞ 64+28=

㉟ 62+18=

㊱ 56+28=

㊲ 56+6=

㊳ 24+27=

㊴ 77+16=

㊵ 64+8=

㊶ 42+19=

㊷ 23+48=

㊸ 54+29=

㊹ 76+6=

㊺ 82+9=

㊻ 18+3=

㊼ 44+36=

㊽ 17+27=

㊾ 42+39=

㊿ 44+48=

(51) 52+9=

(52) 53+37=

(53) 64+9=

(54) 77+14=

(55) 55+16=

(56) 24+18=

(57) 62+29=

(58) 56+26=

(59) 24+29=

(60) 38+46=

(61) 77+18=

(62) 64+19=

(63) 17+29=

(64) 76+9=

(65) 44+17=

(66) 19+22=

(67) 53+17=

(68) 82+8=

(69) 76+15=

(70) 52+28=

(71) 65+25=

(72) 44+18=

(73) 36+26=

(74) 54+27=

(75) 76+16=

(76) 17+28=

(77) 72+18=

(78) 38+13=

(79) 55+26=

(80) 77+17=

(81) 64+18=

(82) 42+9=

(83) 17+24=

(84) 30+50=

(85) 63+8=

(86) 43+18=

(87) 44+48=

(88) 52+19=

(89) 24+18 □ 34+12

(90) 56+26 □ 62+29

(91) 24+29 □ 36+18

(92) 38+46 □ 44+36

(93) 77+18 □ 71+19

(94) 44+36 □ 55+26

(95) 42+21 □ 36+6

(96) 77+13 □ 49+22

(97) 36+26 □ 54+8

(98) 33+28 □ 41+21

(99) 41+22 □ 52+9

(100) 27+26 □ 18+36

知识课堂

①将数位对齐 —— ②个位数字相加 —— ③十位数字相加

```
  4 5        4 5        4 5
+ 2 8      + 2 8      + 2 8
-----      -----      -----
              □         □□
```

家园互动

点评：对______题　错______题　用时：__________

第 28 天 计时测评

______月______日　星期_____　　评分：真棒！☺　不错！☺　加油！☺

① 42+29=
② 77+13=
③ 36+46=
④ 43+28=
⑤ 64+29=
⑥ 77+19=
⑦ 38+35=
⑧ 24+28=
⑨ 33+38=
⑩ 63+18=
⑪ 43+38=
⑫ 52+9=
⑬ 53+37=
⑭ 64+19=
⑮ 77+14=
⑯ 55+16=
⑰ 24+18=
⑱ 62+29=
⑲ 56+26=
⑳ 24+29=
㉑ 38+46=
㉒ 77+18=
㉓ 64+19=
㉔ 17+29=
㉕ 76+17=

㉖ 44+17=
㉗ 19+22=
㉘ 53+17=
㉙ 82+16=
㉚ 76+15=
㉛ 52+28=
㉜ 65+25=
㉝ 44+18=
㉞ 36+26=
㉟ 54+27=
㊱ 76+16=
㊲ 17+28=
㊳ 72+18=
㊴ 38+13=
㊵ 55+26=
㊶ 77+17=
㊷ 64+18=
㊸ 42+19=
㊹ 17+24=
㊺ 44+46=
㊻ 36+35=
㊼ 44+38=
㊽ 52+39=
㊾ 76+10=
㊿ 53+27=

(51) 18+44=
(52) 33+19=
(53) 63+28=
(54) 44+26=
(55) 17+26=
(56) 30+50=
(57) 63+28=
(58) 43+18=
(59) 44+28=
(60) 52+19=
(61) 44+6=
(62) 17+25=
(63) 42+49=
(64) 77+15=
(65) 55+26=
(66) 72+19=
(67) 24+17=
(68) 62+29=
(69) 24+19=
(70) 38+24=
(71) 55+36=
(72) 64+28=
(73) 62+18=
(74) 56+28=
(75) 56+16=

(76) 24+27=
(77) 77+16=
(78) 64+28=
(79) 42+19=
(80) 23+48=
(81) 54+29=
(82) 76+16=
(83) 82+11=
(84) 18+39=
(85) 44+36=
(86) 17+27=
(87) 42+39=
(88) 44+48=
(89) 41+22 □ 52+9
(90) 27+26 □ 43+28
(91) 42+21 □ 36+6
(92) 77+13 □ 49+22
(93) 36+26 □ 54+8
(94) 33+28 □ 41+21
(95) 24+18 □ 34+12
(96) 56+26 □ 62+29
(97) 24+29 □ 36+18
(98) 38+46 □ 44+36
(99) 77+18 □ 71+19
(100) 44+36 □ 55+26

思维拓展

一根绳子长 16 米，对折后再对折，每一折绳子长多少米？

家园互动

点评：对______题　错______题　用时：__________

100 以内的加法运算(十五)

① 64+9=
② 77+14=
③ 55+16=
④ 24+18=
⑤ 62+29=
⑥ 56+26=
⑦ 24+29=
⑧ 38+46=
⑨ 77+18=
⑩ 64+19=
⑪ 17+29=
⑫ 76+9=
⑬ 44+17=
⑭ 19+22=
⑮ 53+17=
⑯ 82+8=
⑰ 76+15=
⑱ 52+28=
⑲ 65+25=
⑳ 44+18=
㉑ 36+26=
㉒ 54+27=
㉓ 76+16=
㉔ 17+28=
㉕ 72+18=

㉖ 38+13=
㉗ 55+26=
㉘ 77+17=
㉙ 64+18=
㉚ 42+9=
㉛ 17+24=
㉜ 30+50=
㉝ 63+8=
㉞ 43+18=
㉟ 44+48=
㊱ 52+19=
㊲ 44+46=
㊳ 36+35=
㊴ 44+38=
㊵ 52+39=
㊶ 76+8=
㊷ 53+27=
㊸ 18+44=
㊹ 33+19=
㊺ 63+28=
㊻ 44+26=
㊼ 17+26=
㊽ 42+29=
㊾ 77+13=
㊿ 36+46=

(51) 43+28=
(52) 64+29=
(53) 77+19=
(54) 38+35=
(55) 24+28=
(56) 33+8=
(57) 63+18=
(58) 43+38=
(59) 44+6=
(60) 17+25=
(61) 42+49=
(62) 77+15=
(63) 55+6=
(64) 72+19=
(65) 24+17=
(66) 62+9=
(67) 24+19=
(68) 38+24=
(69) 55+36=
(70) 64+28=
(71) 62+18=
(72) 56+28=
(73) 56+6=
(74) 24+27=
(75) 77+16=

(76) 64+8=
(77) 42+19=
(78) 23+48=
(79) 54+29=
(80) 76+6=
(81) 82+9=
(82) 18+3=
(83) 44+36=
(84) 17+27=
(85) 42+39=
(86) 44+48=
(87) 52+9=
(88) 53+37=
(89) 24+36 □ 35+26
(90) 32+21 □ 36+16
(91) 77+13 □ 49+32
(92) 36+26 □ 44+18
(93) 33+28 □ 41+21
(94) 40+22 □ 52+19
(95) 27+46 □ 18+36
(96) 34+28 □ 34+22
(97) 56+26 □ 62+29
(98) 24+29 □ 36+18
(99) 38+46 □ 44+36
(100) 67+18 □ 71+9

知识课堂

两位数减两位数(不退位)的计算方法:相同数位对齐,从个位减起。个位上的数与个位上的数相减,得数写在个位上;十位上的数与十位上的数相减,得数写在十位上。

家园互动

点评:对______题 错______题 用时:__________

第 30 天
计时测评

______月______日　星期_____　评分：真棒！　不错！　加油！

① 77+16=
② 64+28=
③ 42+19=
④ 23+48=
⑤ 54+29=
⑥ 76+16=
⑦ 82+11=
⑧ 18+39=
⑨ 44+36=
⑩ 17+27=
⑪ 42+39=
⑫ 44+48=
⑬ 42+29=
⑭ 77+13=
⑮ 36+46=
⑯ 43+28=
⑰ 64+29=
⑱ 77+19=
⑲ 38+35=
⑳ 24+28=
㉑ 33+38=
㉒ 63+18=
㉓ 43+38=
㉔ 52+9=
㉕ 53+37=
㉖ 64+19=
㉗ 77+14=
㉘ 52+39=
㉙ 76+10=
㉚ 53+27=
㉛ 18+44=
㉜ 33+19=
㉝ 63+28=
㉞ 44+26=
㉟ 17+26=
㊱ 30+50=
㊲ 63+28=
㊳ 43+18=
㊴ 55+16=
㊵ 24+18=
㊶ 62+29=
㊷ 56+26=
㊸ 24+29=
㊹ 38+46=
㊺ 77+18=
㊻ 64+19=
㊼ 17+29=
㊽ 76+17=
㊾ 44+17=
㊿ 19+22=
(51) 53+17=
(52) 82+16=
(53) 76+15=
(54) 52+28=
(55) 65+25=
(56) 44+18=
(57) 36+26=
(58) 54+27=
(59) 76+16=
(60) 17+28=
(61) 72+18=
(62) 38+13=
(63) 55+26=
(64) 77+17=
(65) 64+18=
(66) 42+19=
(67) 17+24=
(68) 44+46=
(69) 36+35=
(70) 44+38=
(71) 44+28=
(72) 52+19=
(73) 44+6=
(74) 17+25=
(75) 42+49=
(76) 77+15=
(77) 55+26=
(78) 72+19=
(79) 24+17=
(80) 62+29=
(81) 24+19=
(82) 38+24=
(83) 55+36=
(84) 64+28=
(85) 62+18=
(86) 56+28=
(87) 56+16=
(88) 24+27=
(89) 27+26 □ 43+28
(90) 42+21 □ 36+6
(91) 77+13 □ 49+22
(92) 36+26 □ 54+8
(93) 44+36 □ 55+26
(94) 33+28 □ 41+21
(95) 24+18 □ 34+12
(96) 56+26 □ 62+29
(97) 24+29 □ 36+18
(98) 38+46 □ 44+36
(99) 77+18 □ 71+19
(100) 41+22 □ 52+9

思维拓展

明明今年 11 岁，妈妈今年 35 岁，15 年后，妈妈比明明大多少岁？

家园互动

点评：对______题　错______题　用时：__________

100 以内的减法运算(一)

① 88 − 27=
② 75 − 25=
③ 25 − 15=
④ 28 − 8=
⑤ 35 − 5=
⑥ 48 − 18=
⑦ 99 − 19=
⑧ 66 − 16=
⑨ 76 − 16=
⑩ 66 − 20=
⑪ 56 − 10=
⑫ 42 − 20=
⑬ 60 − 40=
⑭ 99 − 50=
⑮ 70 − 10=
⑯ 69 − 30=
⑰ 68 − 40=
⑱ 64 − 44=
⑲ 21 − 10=
⑳ 23 − 13=
㉑ 69 − 40=
㉒ 79 − 9=
㉓ 48 − 8=
㉔ 62 − 12=
㉕ 89 − 80=

㉖ 80 − 20=
㉗ 60 − 20=
㉘ 99 − 39=
㉙ 89 − 29=
㉚ 70 − 20=
㉛ 69 − 19=
㉜ 88 − 28=
㉝ 39 − 19=
㉞ 58 − 46=
㉟ 48 − 24=
㊱ 99 − 29=
㊲ 87 − 32=
㊳ 88 − 66=
㊴ 27 − 20=
㊵ 69 − 38=
㊶ 87 − 57=
㊷ 37 − 25=
㊸ 48 − 45=
㊹ 39 − 22=
㊺ 47 − 33=
㊻ 89 − 69=
㊼ 54 − 34=
㊽ 79 − 27=
㊾ 39 − 4=
㊿ 32 − 30=

(51) 66 − 36=
(52) 29 − 9=
(53) 39 − 12=
(54) 49 − 9=
(55) 26 − 6=
(56) 78 − 38=
(57) 82 − 42=
(58) 42 − 12=
(59) 53 − 13=
(60) 99 − 10=
(61) 66 − 30=
(62) 82 − 61=
(63) 27 − 21=
(64) 73 − 33=
(65) 49 − 20=
(66) 90 − 70=
(67) 77 − 74=
(68) 95 − 53=
(69) 98 − 92=
(70) 65 − 61=
(71) 67 − 45=
(72) 79 − 36=
(73) 55 − 5=
(74) 98 − 40=
(75) 34 − 21=

(76) 63 − 60=
(77) 56 − 46=
(78) 51 − 21=
(79) 27 − 16=
(80) 50 − 20=
(81) 80 − 60=
(82) 90 − 30=
(83) 75 − 70=
(84) 66 − 31=
(85) 78 − 21=
(86) 57 − 47=
(87) 75 − 65=
(88) 48 − 28=
(89) 98 − 49=
(90) 61 − 23=
(91) 62 − 44=
(92) 41 − 19=
(93) 23 − 15=
(94) 69 − 42=
(95) 77 − 29=
(96) 86 − 57=
(97) 34 − 15=
(98) 78 − 49=
(99) 39 − 21=
(100) 49 − 26=

知识课堂

45 − 13 = 32

40　5　10　3

30

2

30 + 2 = 32。

家园互动

点评：对______题　错______题　用时：__________

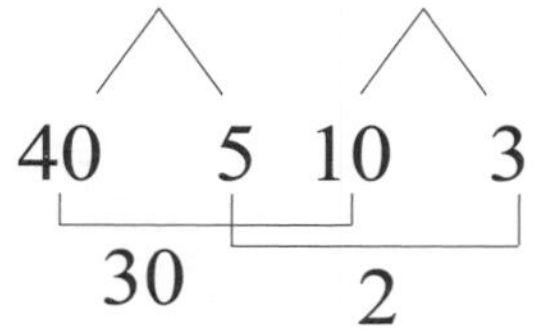

① 64－44=	㉖ 65－61=	(51) 82－42=	(76) 35－25=
② 21－10=	㉗ 67－45=	(52) 42－12=	(77) 48－18=
③ 23－13=	㉘ 79－39=	(53) 53－13=	(78) 99－19=
④ 69－40=	㉙ 55－5=	(54) 99－10=	(79) 66－16=
⑤ 79－19=	㉚ 98－40=	(55) 66－30=	(80) 76－16=
⑥ 48－28=	㉛ 34－21=	(56) 82－61=	(81) 66－22=
⑦ 62－12=	㉜ 63－60=	(57) 27－24=	(82) 56－11=
⑧ 89－80=	㉝ 56－46=	(58) 73－33=	(83) 42－20=
⑨ 80－20=	㉞ 51－21=	(59) 49－20=	(84) 60－45=
⑩ 60－20=	㉟ 87－57=	(60) 90－79=	(85) 99－59=
⑪ 99－39=	㊱ 37－25=	(61) 77－74=	(86) 70－10=
⑫ 89－29=	㊲ 48－45=	(62) 27－16=	(87) 69－30=
⑬ 70－20=	㊳ 39－22=	(63) 50－20=	(88) 68－48=
⑭ 69－19=	㊴ 47－33=	(64) 80－79=	(89) 87－39=
⑮ 88－28=	㊵ 89－69=	(65) 90－30=	(90) 62－13=
⑯ 39－19=	㊶ 54－34=	(66) 75－70=	(91) 52－44=
⑰ 58－46=	㊷ 79－27=	(67) 66－31=	(92) 48－19=
⑱ 48－24=	㊸ 39－4=	(68) 78－21=	(93) 27－19=
⑲ 99－79=	㊹ 32－30=	(69) 57－47=	(94) 63－42=
⑳ 87－32=	㊺ 66－36=	(70) 75－65=	(95) 76－38=
㉑ 88－66=	㊻ 29－9=	(71) 48－28=	(96) 86－37=
㉒ 27－20=	㊼ 39－12=	(72) 88－27=	(97) 24－17=
㉓ 69－38=	㊽ 49－9=	(73) 75－25=	(98) 78－69=
㉔ 95－53=	㊾ 26－6=	(74) 25－15=	(99) 32－21=
㉕ 98－92=	㊿ 78－38=	(75) 28－18=	(100) 41－26=

思维拓展

一个正方形被分成4个小的正方形，每个小正方形的周长是40厘米，那么大的正方形的边长是多少呢？

家园互动

点评：对＿＿＿题　错＿＿＿题　用时：＿＿＿＿＿

① 65 − 63=
② 74 − 73=
③ 86 − 85=
④ 59 − 49=
⑤ 36 − 33=
⑥ 59 − 43=
⑦ 79 − 39=
⑧ 27 − 10=
⑨ 49 − 44=
⑩ 59 − 42=
⑪ 27 − 15=
⑫ 79 − 38=
⑬ 59 − 46=
⑭ 86 − 81=
⑮ 65 − 60=
⑯ 49 − 42=
⑰ 57 − 52=
⑱ 36 − 31=
⑲ 69 − 9=
⑳ 48 − 28=
㉑ 77 − 37=
㉒ 57 − 50=
㉓ 57 − 40=
㉔ 65 − 61=
㉕ 74 − 70=
㉖ 86 − 82=
㉗ 49 − 43=
㉘ 57 − 53=
㉙ 36 − 30=
㉚ 77 − 27=
㉛ 48 − 36=
㉜ 57 − 54=
㉝ 49 − 45=
㉞ 48 − 8=
㉟ 65 − 62=
㊱ 74 − 71=
㊲ 86 − 83=
㊳ 59 − 45=
㊴ 79 − 49=
㊵ 27 − 11=
㊶ 79 − 37=
㊷ 59 − 47=
㊸ 86 − 80=
㊹ 49 − 41=
㊺ 57 − 51=
㊻ 77 − 47=
㊼ 48 − 38=
㊽ 36 − 32=
㊾ 69 − 19=
㊿ 48 − 6=
(51) 69 − 49=
(52) 36 − 34=
(53) 57 − 55=
(54) 49 − 48=
(55) 77 − 67=
(56) 48 − 26=
(57) 69 − 29=
(58) 49 − 46=
(59) 74 − 72=
(60) 86 − 84=
(61) 49 − 40=
(62) 59 − 48=
(63) 27 − 16=
(64) 79 − 47=
(65) 59 − 44=
(66) 77 − 57=
(67) 48 − 18=
(68) 77 − 7=
(69) 65 − 64=
(70) 49 − 47=
(71) 57 − 56=
(72) 48 − 16=
(73) 36 − 35=
(74) 69 − 59=
(75) 77 − 17=
(76) 19 − 2=
(77) 46 − 5=
(78) 37 − 7=
(79) 19 − 1=
(80) 30 − 10=
(81) 37 − 17=
(82) 46 − 16=
(83) 40 − 10=
(84) 55 − 15=
(85) 43 − 40=
(86) 61 − 60=
(87) 44 − 10=
(88) 96 − 60=
(89) 87 − 39 □ 37
(90) 62 − 13 □ 51
(91) 52 − 4 □ 49
(92) 48 − 19 □ 31
(93) 27 − 19 □ 8
(94) 63 − 42 □ 24
(95) 76 − 38 □ 46
(96) 86 − 37 □ 59
(97) 24 − 17 □ 17
(98) 78 − 69 □ 11
(99) 32 − 21 □ 12
(100) 41 − 26 □ 25+9

知识课堂

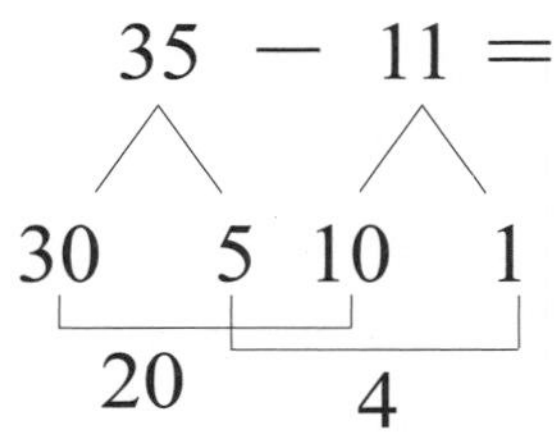
35 − 11 = 24
30
5
10
1
20
4

注意：可以用“24 + 11 = 35”或“35 − 24 = 11”的方法验证。

家园互动

点评：对______题　错______题　用时：__________

______月______日 星期______ 评分：真棒！ 不错！ 加油！

① 99 − 50=
② 70 − 10=
③ 69 − 30=
④ 68 − 40=
⑤ 64 − 44=
⑥ 21 − 10=
⑦ 23 − 13=
⑧ 69 − 40=
⑨ 79 − 9=
⑩ 48 − 8=
⑪ 62 − 12=
⑫ 89 − 80=
⑬ 80 − 20=
⑭ 60 − 20=
⑮ 99 − 39=
⑯ 89 − 29=
⑰ 70 − 20=
⑱ 69 − 19=
⑲ 88 − 28=
⑳ 39 − 19=
㉑ 58 − 46=
㉒ 48 − 24=
㉓ 99 − 29=
㉔ 87 − 32=
㉕ 88 − 66=

㉖ 27 − 20=
㉗ 69 − 38=
㉘ 87 − 57=
㉙ 37 − 25=
㉚ 48 − 45=
㉛ 39 − 22=
㉜ 47 − 33=
㉝ 89 − 69=
㉞ 54 − 34=
㉟ 79 − 27=
㊱ 39 − 4=
㊲ 32 − 30=
㊳ 88 − 27=
㊴ 75 − 25=
㊵ 25 − 15=
㊶ 28 − 8=
㊷ 35 − 5=
㊸ 48 − 18=
㊹ 99 − 19=
㊺ 66 − 16=
㊻ 76 − 16=
㊼ 66 − 20=
㊽ 56 − 10=
㊾ 42 − 20=
㊿ 60 − 40=

(51) 23 − 15=
(52) 69 − 42=
(53) 77 − 29=
(54) 86 − 57=
(55) 34 − 15=
(56) 78 − 49=
(57) 39 − 21=
(58) 49 − 26=
(59) 66 − 36=
(60) 29 − 9=
(61) 39 − 12=
(62) 49 − 9=
(63) 26 − 6=
(64) 78 − 38=
(65) 82 − 42=
(66) 42 − 12=
(67) 53 − 13=
(68) 99 − 10=
(69) 66 − 30=
(70) 82 − 61=
(71) 27 − 21=
(72) 73 − 33=
(73) 49 − 20=
(74) 27 − 16=
(75) 50 − 20=

(76) 80 − 60=
(77) 90 − 30=
(78) 75 − 70=
(79) 66 − 31=
(80) 78 − 21=
(81) 57 − 47=
(82) 75 − 65=
(83) 48 − 28=
(84) 98 − 49=
(85) 61 − 23=
(86) 62 − 44=
(87) 90 − 70=
(88) 77 − 74=
(89) 95 − 53=
(90) 98 − 92=
(91) 65 − 61=
(92) 67 − 45=
(93) 79 − 36=
(94) 55 − 5=
(95) 98 − 40=
(96) 34 − 21=
(97) 63 − 60=
(98) 56 − 46=
(99) 51 − 21=
(100) 41 − 19=

思维拓展

有两袋糖，一袋有 84 颗，另一袋有 20 颗，每次从多的一袋里拿出 8 颗糖放到少的一袋里去，拿几次才能使两袋的糖一样多？

家园互动

点评：对______题 错______题 用时：__________

① 99 − 79=
② 87 − 32=
③ 88 − 66=
④ 27 − 20=
⑤ 69 − 38=
⑥ 95 − 53=
⑦ 98 − 92=
⑧ 65 − 61=
⑨ 67 − 45=
⑩ 79 − 39=
⑪ 55 − 5=
⑫ 98 − 40=
⑬ 34 − 21=
⑭ 63 − 60=
⑮ 56 − 46=
⑯ 51 − 21=
⑰ 87 − 57=
⑱ 37 − 25=
⑲ 48 − 45=
⑳ 39 − 22=
㉑ 47 − 33=
㉒ 89 − 69=
㉓ 54 − 34=
㉔ 79 − 27=
㉕ 39 − 4=

㉖ 32 − 30=
㉗ 66 − 36=
㉘ 29 − 9=
㉙ 39 − 12=
㉚ 49 − 9=
㉛ 26 − 6=
㉜ 78 − 38=
㉝ 64 − 44=
㉞ 21 − 10=
㉟ 23 − 13=
㊱ 69 − 40=
㊲ 79 − 19=
㊳ 48 − 28=
㊴ 62 − 12=
㊵ 89 − 80=
㊶ 80 − 20=
㊷ 60 − 20=
㊸ 99 − 39=
㊹ 89 − 29=
㊺ 70 − 20=
㊻ 69 − 19=
㊼ 88 − 28=
㊽ 39 − 19=
㊾ 58 − 46=
㊿ 48 − 24=

51 78 − 21=
52 57 − 47=
53 75 − 65=
54 48 − 28=
55 88 − 27=
56 75 − 25=
57 25 − 15=
58 28 − 18=
59 35 − 25=
60 48 − 18=
61 99 − 19=
62 66 − 16=
63 76 − 16=
64 66 − 22=
65 56 − 11=
66 42 − 20=
67 60 − 45=
68 99 − 59=
69 70 − 10=
70 69 − 30=
71 68 − 48=
72 87 − 39=
73 62 − 13=
74 52 − 44=
75 48 − 19=

76 27 − 19=
77 63 − 42=
78 76 − 38=
79 86 − 37=
80 24 − 17=
81 78 − 69=
82 32 − 21=
83 41 − 26=
84 82 − 42=
85 42 − 12=
86 53 − 13=
87 99 − 10=
88 66 − 30=
89 82 − 61=
90 27 − 24=
91 73 − 33=
92 49 − 20=
93 90 − 79=
94 77 − 74=
95 27 − 16=
96 50 − 20=
97 80 − 79=
98 90 − 30=
99 75 − 70=
100 66 − 31=

知识课堂　　　　　　　　家园互动

　　两位数减两位数(退位)的计算方法:相同数位对齐,从个位减起。个位不够减时,从十位退1当10,和个位上的数合起来再减。十位退1后要先减1,再计算十位上的减法。

点评:对_____题　错_____题　用时:_____

35

_____月_____日 星期_____   评分: 真棒!☺ 不错!☺ 加油!☺

① 48 − 28 =
② 77 − 37 =
③ 57 − 50 =
④ 57 − 40 =
⑤ 65 − 61 =
⑥ 74 − 70 =
⑦ 86 − 82 =
⑧ 49 − 43 =
⑨ 57 − 53 =
⑩ 36 − 30 =
⑪ 77 − 27 =
⑫ 48 − 36 =
⑬ 57 − 54 =
⑭ 49 − 45 =
⑮ 48 − 8 =
⑯ 65 − 62 =
⑰ 74 − 71 =
⑱ 86 − 83 =
⑲ 59 − 45 =
⑳ 79 − 49 =
㉑ 27 − 11 =
㉒ 79 − 37 =
㉓ 59 − 47 =
㉔ 86 − 80 =
㉕ 49 − 41 =

㉖ 57 − 51 =
㉗ 77 − 47 =
㉘ 48 − 38 =
㉙ 36 − 32 =
㉚ 69 − 19 =
㉛ 48 − 6 =
㉜ 65 − 63 =
㉝ 74 − 73 =
㉞ 86 − 85 =
㉟ 59 − 49 =
㊱ 36 − 33 =
㊲ 59 − 43 =
㊳ 79 − 39 =
㊴ 27 − 10 =
㊵ 49 − 44 =
㊶ 59 − 42 =
㊷ 27 − 15 =
㊸ 79 − 38 =
㊹ 59 − 46 =
㊺ 86 − 81 =
㊻ 65 − 60 =
㊼ 49 − 42 =
㊽ 57 − 52 =
㊾ 36 − 31 =
㊿ 69 − 9 =

51 40 − 10 =
52 55 − 15 =
53 43 − 40 =
54 61 − 60 =
55 44 − 10 =
56 96 − 60 =
57 69 − 49 =
58 36 − 34 =
59 57 − 55 =
60 49 − 48 =
61 77 − 67 =
62 48 − 26 =
63 69 − 29 =
64 49 − 46 =
65 74 − 72 =
66 86 − 84 =
67 49 − 40 =
68 59 − 48 =
69 27 − 16 =
70 79 − 47 =
71 59 − 44 =
72 77 − 57 =
73 48 − 18 =
74 77 − 7 =
75 65 − 64 =

76 49 − 47 =
77 57 − 56 =
78 48 − 16 =
79 36 − 35 =
80 69 − 59 =
81 77 − 17 =
82 19 − 2 =
83 46 − 5 =
84 37 − 7 =
85 19 − 1 =
86 30 − 10 =
87 37 − 17 =
88 46 − 16 =
89 87 − 49 ☐ 37
90 62 − 23 ☐ 41
91 52 − 3 ☐ 48
92 58 − 19 ☐ 31
93 37 − 19 ☐ 28
94 62 − 44 ☐ 24
95 73 − 38 ☐ 46
96 84 − 37 ☐ 59
97 44 − 17 ☐ 17
98 78 − 69 ☐ 19
99 42 − 21 ☐ 12
100 41 − 26 ☐ 25 − 9

思维拓展

小强、小清、小红和小玲四个人中,小强不是最矮的,小红不是最高的,但比小强高,小玲不比大家高,请按从高到矮的顺序把名字写出来。

家园互动

点评:对_____题 错_____题 用时:_____

① 74 − 41＝
② 87 − 16＝
③ 69 − 34＝
④ 38 − 16＝
⑤ 39 − 12＝
⑥ 95 − 62＝
⑦ 98 − 73＝
⑧ 49 − 37＝
⑨ 78 − 25＝
⑩ 36 − 33＝
⑪ 39 − 16＝
⑫ 57 − 14＝
⑬ 69 − 35＝
⑭ 38 − 14＝
⑮ 87 − 14＝
⑯ 65 − 32＝
⑰ 98 − 75＝
⑱ 49 − 32＝
⑲ 38 − 14＝
⑳ 44 − 23＝
㉑ 56 − 40＝
㉒ 69 − 37＝
㉓ 87 − 13＝
㉔ 36 − 31＝
㉕ 69 − 38＝

㉖ 44 − 24＝
㉗ 38 − 13＝
㉘ 87 − 12＝
㉙ 39 − 13＝
㉚ 98 − 76＝
㉛ 49 − 33＝
㉜ 49 − 38＝
㉝ 50 − 29＝
㉞ 57 − 10＝
㉟ 65 − 34＝
㊱ 78 − 22＝
㊲ 36 − 35＝
㊳ 98 − 74＝
㊴ 57 − 15＝
㊵ 95 − 61＝
㊶ 74 − 40＝
㊷ 78 − 26＝
㊸ 57 − 12＝
㊹ 98 − 70＝
㊺ 49 − 35＝
㊻ 65 − 30＝
㊼ 39 − 14＝
㊽ 36 − 32＝
㊾ 57 − 17＝
㊿ 95 − 63＝

51 39 − 10＝
52 69 − 33＝
53 38 − 17＝
54 44 − 20＝
55 56 − 43＝
56 78 − 21＝
57 65 − 33＝
58 74 − 42＝
59 39 − 17＝
60 87 − 15＝
61 38 − 15＝
62 56 − 41＝
63 69 − 36＝
64 36 − 34＝
65 98 − 71＝
66 49 − 36＝
67 95 − 64＝
68 44 − 21＝
69 38 − 18＝
70 69 − 31＝
71 87 − 17＝
72 39 − 18＝
73 74 − 43＝
74 98 − 72＝
75 65 − 35＝

76 78 − 23＝
77 49 − 34＝
78 98 − 78＝
79 36 − 30＝
80 95 − 60＝
81 57 − 11＝
82 78 − 27＝
83 49 − 31＝
84 39 − 15＝
85 87 − 11＝
86 69 − 30＝
87 44 − 22＝
88 39 − 11＝
89 87 − 39 □ 47
90 62 − 13 □ 41
91 52 − 44 □ 18
92 48 − 19 □ 31
93 27 − 19 □ 9
94 63 − 42 □ 31
95 76 − 38 □ 47
96 86 − 37 □ 59
97 24 − 17 □ 17
98 78 − 69 □ 11
99 32 − 21 □ 12
100 41 − 26 □ 25

知识课堂

46 − 28 ＝ 18

30　16 20　8

10
8

10 ＋ 8 ＝ 18。

家园互动

点评：对 ＿＿＿＿ 题　错 ＿＿＿＿ 题　用时：＿＿＿＿＿

______月______日　星期______　　评分：真棒！☺　不错！☺　加油！☺

① 44－24=
② 38－13=
③ 87－12=
④ 39－13=
⑤ 98－76=
⑥ 49－33=
⑦ 49－38=
⑧ 49－39=
⑨ 57－10=
⑩ 65－34=
⑪ 74－41=
⑫ 87－16=
⑬ 69－34=
⑭ 38－16=
⑮ 39－12=
⑯ 95－62=
⑰ 98－73=
⑱ 49－37=
⑲ 78－25=
⑳ 36－33=
㉑ 39－16=
㉒ 57－14=
㉓ 69－35=
㉔ 38－14=
㉕ 39－17=
㉖ 87－44=
㉗ 38－25=
㉘ 56－41=
㉙ 69－46=
㉚ 36－34=
㉛ 98－71=
㉜ 49－36=
㉝ 95－64=
㉞ 44－21=
㉟ 38－28=
㊱ 69－41=
㊲ 87－17=
㊳ 39－18=
㊴ 74－43=
㊵ 98－72=
㊶ 87－14=
㊷ 65－32=
㊸ 98－75=
㊹ 49－32=
㊺ 38－14=
㊻ 44－23=
㊼ 56－40=
㊽ 69－37=
㊾ 87－13=
㊿ 36－31=
(51) 69－38=
(52) 78－22=
(53) 36－15=
(54) 98－74=
(55) 57－25=
(56) 95－61=
(57) 74－40=
(58) 78－26=
(59) 57－32=
(60) 98－70=
(61) 49－35=
(62) 65－31=
(63) 39－14=
(64) 36－32=
(65) 57－19=
(66) 65－35=
(67) 78－23=
(68) 49－34=
(69) 98－78=
(70) 36－30=
(71) 95－60=
(72) 57－11=
(73) 78－27=
(74) 49－31=
(75) 39－15=
(76) 87－41=
(77) 69－30=
(78) 44－22=
(79) 39－11=
(80) 95－63=
(81) 39－14=
(82) 69－33=
(83) 38－17=
(84) 44－20=
(85) 56－43=
(86) 78－21=
(87) 65－33=
(88) 74－42=
(89) 50 －(　　)=29
(90) 57 －(　　)=10
(91) 65 －(　　)=34
(92) 78 －(　　)=22
(93) 36 －(　　)=25
(94) 98 －(　　)=74
(95) 49 －(　　)=31
(96) 39 －(　　)=15
(97) 87 －(　　)=41
(98) 69 －(　　)=30
(99) 44 －(　　)=22
(100) 39 －(　　)=11

思维拓展

3 棵树上停着 24 只鸟，如果第一棵树上的 4 只鸟飞到第二棵树上，再从第二棵树上飞 5 只鸟到第三棵树上，那么三棵树上的鸟数量一样多，原来第二棵树上有几只鸟？

家园互动

点评：对______题　错______题　用时：__________

① 34 − 23=

② 43 − 11=

③ 39 − 22=

④ 68 − 43=

⑤ 99 − 86=

⑥ 75 − 41=

⑦ 64 − 41=

⑧ 89 − 65=

⑨ 78 − 55=

⑩ 39 − 24=

⑪ 89 − 63=

⑫ 17 − 6=

⑬ 27 − 17=

⑭ 89 − 61=

⑮ 98 − 63=

⑯ 67 − 43=

⑰ 39 − 28=

⑱ 19 − 8=

⑲ 39 − 25=

⑳ 99 − 78=

㉑ 26 − 16=

㉒ 16 − 5=

㉓ 29 − 8=

㉔ 89 − 64=

㉕ 98 − 61=

㉖ 83 − 30=

㉗ 99 − 88=

㉘ 75 − 45=

㉙ 67 − 40=

㉚ 98 − 66=

㉛ 83 − 32=

㉜ 68 − 46=

㉝ 75 − 42=

㉞ 39 − 26=

㉟ 83 − 31=

㊱ 64 − 44=

㊲ 68 − 41=

㊳ 39 − 21=

㊴ 33 − 22=

㊵ 78 − 51=

㊶ 89 − 62=

㊷ 67 − 45=

㊸ 89 − 67=

㊹ 78 − 57=

㊺ 99 − 85=

㊻ 77 − 57=

㊼ 98 − 68=

㊽ 34 − 24=

㊾ 99 − 89=

㊿ 68 − 40=

51 67 − 46=

52 39 − 29=

53 99 − 81=

54 75 − 44=

55 78 − 56=

56 64 − 42=

57 89 − 66=

58 27 − 14=

59 98 − 64=

60 43 − 10=

61 78 − 52=

62 28 − 15=

63 89 − 60=

64 68 − 44=

65 99 − 80=

66 78 − 54=

67 99 − 83=

68 68 − 45=

69 43 − 12=

70 67 − 41=

71 98 − 65=

72 75 − 40=

73 99 − 82=

74 68 − 48=

75 83 − 33=

76 67 − 47=

77 39 − 19=

78 67 − 44=

79 98 − 62=

80 33 − 21=

81 68 − 42=

82 99 − 84=

83 39 − 27=

84 78 − 58=

85 89 − 68=

86 64 − 40=

87 99 − 87=

88 67 − 42=

89 22 − (16 − 5)=

90 53 − (39 − 8)=

91 61 − (64 − 42)=

92 46 − (33 − 22)=

93 28 − (78 − 51)=

94 43 − (98 − 66)=

95 34 − (75 − 41)=

96 29 − (67 − 40)=

97 36 − (89 − 68)=

98 82 − (67 − 42)=

99 61 − (43 − 12)=

100 55 − (68 − 43)=

知识课堂

$$32 - 19 = 13$$

20　12　10　9

10

注意：个位上 2 < 9，故此处 32 要分成 20 和 12。

家园互动

点评：对_____题　错_____题　用时：_____

_____月_____日 星期_____ 评分: 真棒!☺ 不错!☺ 加油!☹

① 50 − 29=	㉖ 49 − 37=	(51) 36 − 34=	(76) 39 − 10=
② 57 − 10=	㉗ 78 − 25=	(52) 98 − 71=	(77) 69 − 33=
③ 65 − 34=	㉘ 36 − 33=	(53) 49 − 36=	(78) 38 − 17=
④ 78 − 22=	㉙ 39 − 16=	(54) 95 − 64=	(79) 44 − 20=
⑤ 36 − 35=	㉚ 57 − 14=	(55) 44 − 21=	(80) 56 − 43=
⑥ 98 − 74=	㉛ 69 − 35=	(56) 38 − 18=	(81) 78 − 21=
⑦ 57 − 15=	㉜ 38 − 14=	(57) 69 − 31=	(82) 65 − 33=
⑧ 95 − 61=	㉝ 87 − 14=	(58) 87 − 17=	(83) 74 − 42=
⑨ 74 − 40=	㉞ 65 − 32=	(59) 39 − 18=	(84) 39 − 17=
⑩ 78 − 26=	㉟ 98 − 75=	(60) 74 − 43=	(85) 87 − 15=
⑪ 57 − 12=	㊱ 49 − 32=	(61) 98 − 72=	(86) 38 − 15=
⑫ 98 − 70=	㊲ 38 − 14=	(62) 65 − 35=	(87) 56 − 41=
⑬ 49 − 35=	㊳ 44 − 23=	(63) 78 − 23=	(88) 69 − 36=
⑭ 65 − 30=	㊴ 56 − 40=	(64) 49 − 34=	(89) 77 − 39 □ 37
⑮ 39 − 14=	㊵ 69 − 37=	(65) 98 − 78=	(90) 62 − 13 □ 51
⑯ 36 − 32=	㊶ 87 − 13=	(66) 36 − 30=	(91) 62 − 44 □ 18
⑰ 57 − 17=	㊷ 36 − 31=	(67) 95 − 60=	(92) 48 − 29 □ 31
⑱ 95 − 63=	㊸ 69 − 38=	(68) 57 − 11=	(93) 37 − 19 □ 19
⑲ 74 − 41=	㊹ 44 − 24=	(69) 78 − 27=	(94) 61 − 42 □ 31
⑳ 87 − 16=	㊺ 38 − 13=	(70) 49 − 31=	(95) 74 − 38 □ 47
㉑ 69 − 34=	㊻ 87 − 12=	(71) 39 − 15=	(96) 86 − 39 □ 59
㉒ 38 − 16=	㊼ 39 − 13=	(72) 87 − 11=	(97) 24 − 17 □ 17
㉓ 39 − 12=	㊽ 98 − 76=	(73) 69 − 30=	(98) 78 − 69 □ 11
㉔ 95 − 62=	㊾ 49 − 33=	(74) 44 − 22=	(99) 32 − 21 □ 12
㉕ 98 − 73=	㊿ 49 − 38=	(75) 39 − 11=	(100) 42 − 26 □ 26

思维拓展

4 名同学参加乒乓球比赛，每两个人都要赛一场，一共有几场比赛？

家园互动

点评：对_____题 错_____题 用时：__________

① 39 - 12=

② 95 - 62=

③ 98 - 73=

④ 49 - 37=

⑤ 78 - 25=

⑥ 36 - 33=

⑦ 39 - 16=

⑧ 57 - 14=

⑨ 69 - 35=

⑩ 38 - 14=

⑪ 39 - 17=

⑫ 87 - 44=

⑬ 38 - 25=

⑭ 56 - 41=

⑮ 69 - 46=

⑯ 36 - 34=

⑰ 98 - 71=

⑱ 49 - 36=

⑲ 95 - 64=

⑳ 44 - 21=

㉑ 38 - 28=

㉒ 69 - 41=

㉓ 87 - 17=

㉔ 39 - 18=

㉕ 74 - 43=

㉖ 98 - 72=

㉗ 87 - 14=

㉘ 65 - 32=

㉙ 98 - 75=

㉚ 49 - 32=

㉛ 38 - 14=

㉜ 44 - 23=

㉝ 56 - 40=

㉞ 69 - 37=

㉟ 87 - 13=

㊱ 36 - 31=

㊲ 44 - 24=

㊳ 38 - 13=

㊴ 87 - 12=

㊵ 39 - 13=

㊶ 98 - 76=

㊷ 49 - 33=

㊸ 49 - 38=

㊹ 49 - 39=

㊺ 57 - 10=

㊻ 65 - 34=

㊼ 74 - 41=

㊽ 87 - 16=

㊾ 69 - 34=

㊿ 38 - 16=

51 36 - 30=

52 95 - 60=

53 57 - 11=

54 78 - 27=

55 49 - 31=

56 39 - 15=

57 87 - 41=

58 69 - 30=

59 44 - 22=

60 39 - 11=

61 95 - 63=

62 39 - 14=

63 69 - 33=

64 38 - 17=

65 44 - 20=

66 56 - 43=

67 78 - 21=

68 65 - 33=

69 74 - 42=

70 69 - 38=

71 78 - 22=

72 36 - 15=

73 98 - 74=

74 57 - 25=

75 95 - 61=

76 74 - 40=

77 78 - 26=

78 57 - 32=

79 98 - 70=

80 49 - 35=

81 65 - 31=

82 39 - 14=

83 36 - 32=

84 57 - 19=

85 65 - 35=

86 78 - 23=

87 49 - 34=

88 98 - 78=

89 60 - (　)=29

90 77 - (　)=11

91 67 - (　)=32

92 79 - (　)=22

93 39 - (　)=15

94 98 - (　)=74

95 89 - (　)=31

96 39 - (　)=25

97 87 - (　)=31

98 69 - (　)=32

99 44 - (　)=24

100 39 - (　)=11

知识课堂

　　三个数连加计算时,相同数位对齐,从个位加起,把可以凑成整十的两个数先相加,再与第三个数相加。

家园互动

点评：对_____题　错_____题　用时：_____

______月______日 星期______ 评分：真棒！ 不错！ 加油！

① 34－23=
② 43－11=
③ 39－22=
④ 68－43=
⑤ 99－86=
⑥ 75－41=
⑦ 64－41=
⑧ 39－25=
⑨ 99－78=
⑩ 26－16=
⑪ 16－5=
⑫ 29－8=
⑬ 89－64=
⑭ 98－61=
⑮ 83－30=
⑯ 99－88=
⑰ 75－45=
⑱ 67－40=
⑲ 98－66=
⑳ 83－32=
㉑ 68－46=
㉒ 75－42=
㉓ 39－26=
㉔ 83－31=
㉕ 64－44=

㉖ 68－41=
㉗ 39－21=
㉘ 33－22=
㉙ 78－51=
㉚ 89－62=
㉛ 67－45=
㉜ 89－67=
㉝ 78－57=
㉞ 99－85=
㉟ 77－57=
㊱ 98－68=
㊲ 34－24=
㊳ 99－89=
㊴ 68－40=
㊵ 89－65=
㊶ 78－55=
㊷ 39－24=
㊸ 89－63=
㊹ 17－6=
㊺ 27－17=
㊻ 89－61=
㊼ 98－63=
㊽ 67－43=
㊾ 39－28=
㊿ 19－8=

(51) 67－46=
(52) 39－29=
(53) 99－81=
(54) 75－44=
(55) 78－56=
(56) 64－42=
(57) 89－66=
(58) 27－14=
(59) 98－64=
(60) 43－10=
(61) 78－52=
(62) 28－15=
(63) 89－60=
(64) 68－44=
(65) 99－80=
(66) 78－54=
(67) 99－83=
(68) 68－45=
(69) 43－12=
(70) 67－41=
(71) 98－65=
(72) 75－40=
(73) 99－82=
(74) 68－48=
(75) 83－33=

(76) 67－47=
(77) 39－19=
(78) 67－44=
(79) 98－62=
(80) 33－21=
(81) 68－42=
(82) 99－84=
(83) 39－27=
(84) 78－58=
(85) 89－68=
(86) 64－40=
(87) 99－87=
(88) 67－42=
(89) 22－(16－11)=
(90) 36－(89－68)=
(91) 82－(67－42)=
(92) 61－(43－12)=
(93) 55－(68－43)=
(94) 53－(39－8)=
(95) 61－(64－42)=
(96) 46－(33－22)=
(97) 28－(78－51)=
(98) 43－(98－66)=
(99) 34－(75－41)=
(100) 29－(67－40)=

思维拓展

李老师带 60 元钱，刚好能买 1 个篮球和 2 个排球。如果只买 2 个排球，还剩下 28 元。一个篮球多少钱？一个排球多少钱？

家园互动

点评：对______题 错______题 用时：__________

① 83 − 32=
② 68 − 46=
③ 75 − 42=
④ 39 − 26=
⑤ 83 − 31=
⑥ 64 − 44=
⑦ 68 − 41=
⑧ 39 − 21=
⑨ 33 − 22=
⑩ 78 − 51=
⑪ 89 − 62=
⑫ 67 − 45=
⑬ 34 − 23=
⑭ 43 − 11=
⑮ 39 − 22=
⑯ 68 − 43=
⑰ 99 − 86=
⑱ 75 − 41=
⑲ 64 − 41=
⑳ 89 − 65=
㉑ 78 − 55=
㉒ 39 − 24=
㉓ 89 − 63=
㉔ 17 − 6=
㉕ 27 − 17=

㉖ 89 − 61=
㉗ 68 − 48=
㉘ 83 − 33=
㉙ 67 − 47=
㉚ 39 − 19=
㉛ 67 − 44=
㉜ 98 − 62=
㉝ 33 − 21=
㉞ 68 − 42=
㉟ 99 − 84=
㊱ 39 − 27=
㊲ 78 − 58=
㊳ 89 − 68=
㊴ 64 − 40=
㊵ 99 − 87=
㊶ 98 − 63=
㊷ 67 − 43=
㊸ 39 − 28=
㊹ 19 − 8=
㊺ 39 − 25=
㊻ 67 − 42=
㊼ 99 − 78=
㊽ 26 − 16=
㊾ 16 − 5=
㊿ 29 − 8=

(51) 89 − 64=
(52) 98 − 61=
(53) 83 − 30=
(54) 99 − 88=
(55) 75 − 45=
(56) 67 − 40=
(57) 98 − 66=
(58) 89 − 67=
(59) 78 − 57=
(60) 99 − 85=
(61) 77 − 57=
(62) 98 − 68=
(63) 34 − 24=
(64) 99 − 89=
(65) 68 − 40=
(66) 67 − 46=
(67) 39 − 29=
(68) 99 − 81=
(69) 75 − 44=
(70) 78 − 56=
(71) 64 − 42=
(72) 89 − 66=
(73) 27 − 14=
(74) 98 − 64=
(75) 43 − 10=

(76) 78 − 52=
(77) 28 − 15=
(78) 89 − 60=
(79) 68 − 44=
(80) 99 − 80=
(81) 78 − 54=
(82) 99 − 83=
(83) 68 − 45=
(84) 43 − 12=
(85) 67 − 41=
(86) 98 − 65=
(87) 75 − 40=
(88) 99 − 82=
(89) 34 − (75 − 41)=
(90) 29 − (67 − 40)=
(91) 36 − (89 − 68)=
(92) 43 − (98 − 66)=
(93) 28 − (78 − 51)=
(94) 22 − (16 − 5)=
(95) 53 − (39 − 8)=
(96) 61 − (64 − 42)=
(97) 46 − (33 − 22)=
(98) 82 − (67 − 42)=
(99) 61 − (43 − 12)=
(100) 55 − (68 − 43)=

知识课堂

14 ＋ 31 ＋ 6 ＝ 51

20

51

家园互动

点评：对______题　错______题　用时：__________

① 83 − 30=

② 99 − 88=

③ 75 − 45=

④ 67 − 40=

⑤ 98 − 66=

⑥ 89 − 67=

⑦ 78 − 57=

⑧ 99 − 85=

⑨ 77 − 57=

⑩ 98 − 68=

⑪ 34 − 24=

⑫ 99 − 89=

⑬ 68 − 40=

⑭ 67 − 46=

⑮ 39 − 29=

⑯ 99 − 81=

⑰ 75 − 44=

⑱ 78 − 56=

⑲ 64 − 42=

⑳ 89 − 66=

㉑ 27 − 14=

㉒ 98 − 64=

㉓ 43 − 10=

㉔ 78 − 52=

㉕ 28 − 15=

㉖ 89 − 60=

㉗ 68 − 44=

㉘ 99 − 80=

㉙ 78 − 54=

㉚ 99 − 83=

㉛ 68 − 45=

㉜ 43 − 12=

㉝ 67 − 41=

㉞ 98 − 65=

㉟ 75 − 40=

㊱ 99 − 82=

㊲ 83 − 32=

㊳ 68 − 46=

㊴ 75 − 42=

㊵ 39 − 26=

㊶ 83 − 31=

㊷ 64 − 44=

㊸ 68 − 41=

㊹ 39 − 21=

㊺ 33 − 22=

㊻ 78 − 51=

㊼ 89 − 62=

㊽ 67 − 45=

㊾ 34 − 23=

㊿ 43 − 11=

51 39 − 22=

52 68 − 43=

53 99 − 86=

54 75 − 41=

55 64 − 41=

56 89 − 65=

57 78 − 55=

58 39 − 24=

59 89 − 63=

60 17 − 6=

61 27 − 17=

62 89 − 61=

63 68 − 48=

64 83 − 33=

65 67 − 47=

66 39 − 19=

67 67 − 44=

68 98 − 62=

69 33 − 21=

70 68 − 42=

71 99 − 84=

72 39 − 27=

73 78 − 58=

74 89 − 68=

75 64 − 40=

76 99 − 87=

77 98 − 63=

78 67 − 43=

79 39 − 28=

80 19 − 8=

81 39 − 25=

82 67 − 42=

83 99 − 78=

84 26 − 16=

85 16 − 5=

86 29 − 8=

87 89 − 64=

88 98 − 61=

89 34 − (75 − 41)=

90 29 − (67 − 40)=

91 36 − (89 − 68)=

92 43 − (98 − 66)=

93 28 − (78 − 51)=

94 22 − (16 − 5)=

95 53 − (39 − 8)=

96 61 − (64 − 42)=

97 46 − (33 − 22)=

98 82 − (67 − 42)=

99 61 − (43 − 12)=

100 55 − (68 − 43)=

思维拓展

按规律填数。

54321 43215 32154 (　　　　) 15432

家园互动

点评:对_____题 错_____题 用时:_____

100 以内的减法运算(八)

① 69 − 37=

② 87 − 13=

③ 36 − 31=

④ 69 − 38=

⑤ 78 − 22=

⑥ 36 − 15=

⑦ 98 − 74=

⑧ 57 − 25=

⑨ 95 − 61=

⑩ 74 − 40=

⑪ 78 − 26=

⑫ 57 − 32=

⑬ 98 − 70=

⑭ 49 − 35=

⑮ 65 − 31=

⑯ 39 − 14=

⑰ 36 − 32=

⑱ 57 − 19=

⑲ 65 − 35=

⑳ 78 − 23=

㉑ 49 − 34=

㉒ 98 − 78=

㉓ 36 − 30=

㉔ 95 − 60=

㉕ 69 − 34=

㉖ 38 − 16=

㉗ 39 − 12=

㉘ 95 − 62=

㉙ 98 − 73=

㉚ 49 − 37=

㉛ 78 − 25=

㉜ 36 − 33=

㉝ 39 − 16=

㉞ 57 − 14=

㉟ 69 − 35=

㊱ 57 − 11=

㊲ 78 − 27=

㊳ 49 − 31=

㊴ 39 − 15=

㊵ 87 − 41=

㊶ 69 − 30=

㊷ 44 − 22=

㊸ 39 − 11=

㊹ 95 − 63=

㊺ 39 − 14=

㊻ 69 − 33=

㊼ 38 − 17=

㊽ 44 − 20=

㊾ 56 − 43=

㊿ 78 − 21=

(51) 65 − 33=

(52) 74 − 42=

(53) 44 − 24=

(54) 38 − 13=

(55) 87 − 12=

(56) 39 − 13=

(57) 98 − 76=

(58) 49 − 33=

(59) 49 − 38=

(60) 49 − 39=

(61) 57 − 10=

(62) 65 − 34=

(63) 74 − 41=

(64) 87 − 16=

(65) 38 − 14=

(66) 39 − 17=

(67) 87 − 44=

(68) 38 − 25=

(69) 56 − 41=

(70) 69 − 46=

(71) 36 − 34=

(72) 98 − 71=

(73) 49 − 36=

(74) 95 − 64=

(75) 44 − 21=

(76) 38 − 28=

(77) 69 − 41=

(78) 87 − 17=

(79) 39 − 18=

(80) 74 − 43=

(81) 98 − 72=

(82) 87 − 14=

(83) 65 − 32=

(84) 98 − 75=

(85) 49 − 32=

(86) 38 − 14=

(87) 44 − 23=

(88) 56 − 40=

(89) 41 − (64 − 32)=

(90) 41 − (33 − 32)=

(91) 27 − (78 − 61)=

(92) 43 − (98 − 66)=

(93) 22 − (16 − 5)=

(94) 53 − (39 − 8)=

(95) 25 − (75 − 61)=

(96) 17 − (67 − 50)=

(97) 33 − (81 − 68)=

(98) 82 − (67 − 42)=

(99) 61 − (43 − 12)=

(100) 55 − (68 − 43)=

知识课堂

从一个数里连续减去两个数，相同数位对齐，从个位减起，如果两个减数的和能凑成整十，可以把减数先加后减。

家园互动

点评：对______题　错______题　用时：________

① 75 − 41=　　⑳ 39 − 28=　　㉛ 89 − 64=　　⑯ 78 − 52=

② 64 − 41=　　㉗ 19 − 8=　　㉜ 98 − 61=　　㉗ 28 − 15=

③ 89 − 65=　　㉘ 39 − 25=　　㉝ 83 − 30=　　㉘ 89 − 60=

④ 78 − 55=　　㉙ 67 − 42=　　㉞ 99 − 88=　　㉙ 68 − 44=

⑤ 39 − 24=　　㉚ 99 − 78=　　㉟ 75 − 45=　　⑧⓪ 99 − 80=

⑥ 89 − 63=　　㉛ 26 − 16=　　㊱ 67 − 40=　　⑧① 78 − 54=

⑦ 17 − 6=　　㉜ 16 − 5=　　㊲ 98 − 66=　　⑧② 99 − 83=

⑧ 27 − 17=　　㉝ 29 − 8=　　㊳ 89 − 67=　　⑧③ 68 − 45=

⑨ 89 − 61=　　㉞ 83 − 32=　　㊴ 78 − 57=　　⑧④ 43 − 12=

⑩ 68 − 48=　　㉟ 68 − 46=　　㊵ 99 − 85=　　⑧⑤ 67 − 41=

⑪ 83 − 33=　　㊱ 75 − 42=　　㊶ 77 − 57=　　⑧⑥ 98 − 65=

⑫ 67 − 47=　　㊲ 39 − 26=　　㊷ 98 − 68=　　⑧⑦ 75 − 40=

⑬ 39 − 19=　　㊳ 83 − 31=　　㊸ 34 − 24=　　⑧⑧ 99 − 82=

⑭ 67 − 44=　　㊴ 64 − 44=　　㊹ 99 − 89=　　⑧⑨ 44 − (75 − 41)=

⑮ 98 − 62=　　㊵ 68 − 41=　　㊺ 68 − 40=　　⑨⓪ 59 − (67 − 40)=

⑯ 33 − 21=　　㊶ 39 − 21=　　㊻ 67 − 46=　　⑨① 46 − (89 − 68)=

⑰ 68 − 42=　　㊷ 33 − 22=　　㊼ 39 − 29=　　⑨② 63 − (98 − 66)=

⑱ 99 − 84=　　㊸ 78 − 51=　　㊽ 99 − 81=　　⑨③ 78 − (78 − 51)=

⑲ 39 − 27=　　㊹ 89 − 62=　　㊾ 75 − 44=　　⑨④ 32 − (26 − 5)=

⑳ 78 − 58=　　㊺ 67 − 45=　　㊿ 78 − 56=　　⑨⑤ 59 − (39 − 8)=

㉑ 89 − 68=　　㊻ 34 − 23=　　㋛ 64 − 42=　　⑨⑥ 51 − (64 − 42)=

㉒ 64 − 40=　　㊼ 43 − 11=　　㋜ 89 − 66=　　⑨⑦ 49 − (33 − 22)=

㉓ 99 − 87=　　㊽ 39 − 22=　　㋝ 27 − 14=　　⑨⑧ 81 − (67 − 42)=

㉔ 98 − 63=　　㊾ 68 − 43=　　㋞ 98 − 64=　　⑨⑨ 71 − (43 − 12)=

㉕ 67 − 43=　　㊿ 99 − 86=　　㋟ 43 − 10=　　⑩⓪ 56 − (68 − 43)=

思维拓展　　　　　　　　　　　　　家园互动

按规律填数。

7, 8, 10, 13, 17, (　　　), 28

点评：对_____题 错_____题 用时：_____

① 99 − 81 =
② 75 − 44 =
③ 78 − 56 =
④ 64 − 42 =
⑤ 89 − 66 =
⑥ 27 − 14 =
⑦ 98 − 64 =
⑧ 43 − 10 =
⑨ 78 − 52 =
⑩ 28 − 15 =
⑪ 89 − 60 =
⑫ 68 − 44 =
⑬ 99 − 80 =
⑭ 78 − 54 =
⑮ 99 − 83 =
⑯ 68 − 45 =
⑰ 43 − 12 =
⑱ 67 − 41 =
⑲ 98 − 65 =
⑳ 75 − 40 =
㉑ 99 − 82 =
㉒ 83 − 32 =
㉓ 68 − 46 =
㉔ 75 − 42 =
㉕ 39 − 26 =

㉖ 83 − 31 =
㉗ 64 − 44 =
㉘ 68 − 41 =
㉙ 39 − 21 =
㉚ 33 − 22 =
㉛ 78 − 51 =
㉜ 89 − 62 =
㉝ 67 − 45 =
㉞ 34 − 23 =
㉟ 43 − 11 =
㊱ 83 − 30 =
㊲ 99 − 88 =
㊳ 75 − 45 =
㊴ 67 − 40 =
㊵ 98 − 66 =
㊶ 89 − 67 =
㊷ 78 − 57 =
㊸ 99 − 85 =
㊹ 77 − 57 =
㊺ 98 − 68 =
㊻ 34 − 24 =
㊼ 99 − 89 =
㊽ 68 − 40 =
㊾ 67 − 46 =
㊿ 39 − 29 =

51 98 − 62 =
52 33 − 21 =
53 68 − 42 =
54 99 − 84 =
55 39 − 27 =
56 78 − 58 =
57 89 − 68 =
58 64 − 40 =
59 99 − 87 =
60 98 − 63 =
61 67 − 43 =
62 39 − 28 =
63 19 − 8 =
64 39 − 25 =
65 67 − 42 =
66 99 − 78 =
67 26 − 16 =
68 16 − 5 =
69 29 − 8 =
70 89 − 64 =
71 98 − 61 =
72 39 − 22 =
73 68 − 43 =
74 99 − 86 =
75 75 − 41 =

76 64 − 41 =
77 89 − 65 =
78 78 − 55 =
79 39 − 24 =
80 89 − 63 =
81 17 − 6 =
82 27 − 17 =
83 89 − 61 =
84 68 − 48 =
85 83 − 33 =
86 67 − 47 =
87 39 − 19 =
88 67 − 44 =
89 61 − (64 − 42) =
90 46 − (33 − 22) =
91 82 − (67 − 42) =
92 61 − (43 − 12) =
93 55 − (68 − 43) =
94 34 − (75 − 41) =
95 29 − (67 − 40) =
96 36 − (89 − 68) =
97 43 − (98 − 66) =
98 28 − (78 − 51) =
99 22 − (16 − 5) =
100 53 − (39 − 8) =

知识课堂

$$36 - 7 - 3 = 26$$

$+$

10

$-$

26

家园互动

点评：对 _____ 题 错 _____ 题 用时：_____

47

第 48 天 计时测评

______月______日 星期_____ 评分：真棒！☺ 不错！☺ 加油！☹

① 49－35=
② 65－31=
③ 39－14=
④ 36－32=
⑤ 57－19=
⑥ 65－35=
⑦ 78－23=
⑧ 49－34=
⑨ 98－78=
⑩ 36－30=
⑪ 95－60=
⑫ 69－34=
⑬ 38－16=
⑭ 39－12=
⑮ 95－62=
⑯ 98－73=
⑰ 49－37=
⑱ 78－25=
⑲ 36－33=
⑳ 39－16=
㉑ 57－14=
㉒ 69－35=
㉓ 57－11=
㉔ 78－27=
㉕ 49－31=
㉖ 39－15=
㉗ 87－41=
㉘ 69－30=
㉙ 44－22=
㉚ 39－11=
㉛ 95－63=
㉜ 39－14=
㉝ 69－33=
㉞ 38－17=
㉟ 44－20=
㊱ 56－43=
㊲ 78－21=
㊳ 69－37=
㊴ 87－13=
㊵ 36－31=
㊶ 69－38=
㊷ 78－22=
㊸ 36－15=
㊹ 98－74=
㊺ 57－25=
㊻ 95－61=
㊼ 74－40=
㊽ 78－26=
㊾ 57－32=
㊿ 98－70=
(51) 87－44=
(52) 38－25=
(53) 56－41=
(54) 69－46=
(55) 36－34=
(56) 98－71=
(57) 49－36=
(58) 95－64=
(59) 44－21=
(60) 38－28=
(61) 69－41=
(62) 87－17=
(63) 39－18=
(64) 74－43=
(65) 98－72=
(66) 87－14=
(67) 65－32=
(68) 98－75=
(69) 49－32=
(70) 38－14=
(71) 44－23=
(72) 56－40=
(73) 65－33=
(74) 74－42=
(75) 44－24=
(76) 38－13=
(77) 87－12=
(78) 39－13=
(79) 98－76=
(80) 49－33=
(81) 49－38=
(82) 49－39=
(83) 57－10=
(84) 65－34=
(85) 74－41=
(86) 87－16=
(87) 38－14=
(88) 39－17=
(89) 25－(75－61)=
(90) 17－(67－50)=
(91) 33－(81－68)=
(92) 82－(67－42)=
(93) 61－(43－12)=
(94) 55－(68－43)=
(95) 41－(64－32)=
(96) 41－(33－32)=
(97) 27－(78－61)=
(98) 43－(98－66)=
(99) 22－(16－5)=
(100) 53－(39－8)=

思维拓展

两箱苹果都重 30 千克，从第一箱中拿出 8 千克到第二箱后，第二箱比第一箱重多少千克？

家园互动

点评：对______题 错______题 用时：__________

① 43 − 36=
② 52 − 37=
③ 31 − 17=
④ 73 − 45=
⑤ 42 − 16=
⑥ 85 − 67=
⑦ 84 − 19=
⑧ 32 − 16=
⑨ 91 − 55=
⑩ 55 − 49=
⑪ 31 − 19=
⑫ 43 − 39=
⑬ 62 − 26=
⑭ 93 − 29=
⑮ 52 − 33=
⑯ 31 − 15=
⑰ 74 − 35=
⑱ 91 − 57=
⑲ 52 − 35=
⑳ 34 − 25=
㉑ 82 − 56=
㉒ 81 − 59=
㉓ 32 − 18=
㉔ 91 − 56=
㉕ 55 − 48=

㉖ 31 − 14=
㉗ 53 − 25=
㉘ 84 − 18=
㉙ 62 − 27=
㉚ 81 − 53=
㉛ 32 − 14=
㉜ 65 − 48=
㉝ 81 − 58=
㉞ 34 − 28=
㉟ 63 − 59=
㊱ 32 − 17=
㊲ 43 − 37=
㊳ 91 − 54=
㊴ 74 − 38=
㊵ 73 − 46=
㊶ 73 − 49=
㊷ 74 − 36=
㊸ 91 − 58=
㊹ 55 − 47=
㊺ 31 − 12=
㊻ 52 − 36=
㊼ 34 − 26=
㊽ 62 − 24=
㊾ 93 − 34=
㊿ 34 − 27=

(51) 53 − 27=
(52) 31 − 16=
(53) 91 − 59=
(54) 74 − 39=
(55) 42 − 18=
(56) 85 − 66=
(57) 95 − 78=
(58) 56 − 19=
(59) 73 − 47=
(60) 73 − 44=
(61) 31 − 18=
(62) 53 − 26=
(63) 34 − 29=
(64) 81 − 57=
(65) 93 − 37=
(66) 62 − 25=
(67) 93 − 36=
(68) 84 − 16=
(69) 62 − 28=
(70) 91 − 53=
(71) 52 − 38=
(72) 43 − 35=
(73) 65 − 47=
(74) 53 − 29=
(75) 84 − 15=

(76) 93 − 38=
(77) 81 − 55=
(78) 32 − 19=
(79) 43 − 38=
(80) 52 − 34=
(81) 55 − 46=
(82) 31 − 13=
(83) 53 − 24=
(84) 84 − 17=
(85) 65 − 49=
(86) 32 − 15=
(87) 73 − 48=
(88) 81 − 54=
(89) 43 − (98 − 66)=
(90) 22 − (16 − 5)=
(91) 53 − (39 − 8)=
(92) 34 − (75 − 41)=
(93) 29 − (67 − 40)=
(94) 36 − (89 − 68)=
(95) 82 − (67 − 42)=
(96) 61 − (43 − 12)=
(97) 55 − (68 − 43)=
(98) 61 − (64 − 42)=
(99) 46 − (33 − 22)=
(100) 28 − (78 − 51)=

知识课堂

46 − 9 + 17 = 54

37

计算不带小括号的加减混合运算时，要按照从左到右的顺序依次计算。

家园互动

点评：对______题　错______题　用时：__________

______月______日 星期______ 评分: 真棒!☺ 不错!☺ 加油!☺

① 93 − 38=
② 81 − 55=
③ 32 − 19=
④ 43 − 38=
⑤ 52 − 34=
⑥ 55 − 46=
⑦ 31 − 13=
⑧ 53 − 24=
⑨ 84 − 17=
⑩ 65 − 49=
⑪ 32 − 15=
⑫ 73 − 48=
⑬ 81 − 54=
⑭ 43 − 36=
⑮ 52 − 37=
⑯ 31 − 17=
⑰ 73 − 45=
⑱ 42 − 16=
⑲ 85 − 67=
⑳ 84 − 19=
㉑ 32 − 16=
㉒ 91 − 55=
㉓ 91 − 58=
㉔ 55 − 47=
㉕ 31 − 12=
㉖ 52 − 36=
㉗ 34 − 26=
㉘ 62 − 24=
㉙ 93 − 34=
㉚ 34 − 27=
㉛ 53 − 27=
㉜ 31 − 16=
㉝ 91 − 59=
㉞ 74 − 39=
㉟ 42 − 18=
㊱ 85 − 66=
㊲ 95 − 78=
㊳ 56 − 19=
㊴ 73 − 47=
㊵ 73 − 44=
㊶ 31 − 18=
㊷ 53 − 26=
㊸ 34 − 29=
㊹ 81 − 57=
㊺ 93 − 37=
㊻ 62 − 25=
㊼ 93 − 36=
㊽ 84 − 16=
㊾ 62 − 28=
㊿ 91 − 53=
(51) 52 − 38=
(52) 43 − 35=
(53) 65 − 47=
(54) 53 − 29=
(55) 84 − 15=
(56) 55 − 49=
(57) 31 − 19=
(58) 43 − 39=
(59) 62 − 26=
(60) 93 − 29=
(61) 52 − 33=
(62) 31 − 15=
(63) 74 − 35=
(64) 91 − 57=
(65) 52 − 35=
(66) 34 − 25=
(67) 82 − 56=
(68) 81 − 59=
(69) 32 − 18=
(70) 91 − 56=
(71) 55 − 48=
(72) 31 − 14=
(73) 53 − 25=
(74) 84 − 18=
(75) 62 − 27=
(76) 81 − 53=
(77) 32 − 14=
(78) 65 − 48=
(79) 81 − 58=
(80) 34 − 28=
(81) 63 − 59=
(82) 32 − 17=
(83) 43 − 37=
(84) 91 − 54=
(85) 74 − 38=
(86) 73 − 46=
(87) 73 − 49=
(88) 74 − 36=
(89) 67 − 42 □ 73 − 47
(90) 43 − 12 □ 68 − 43
(91) 68 − 43 □ 64 − 42
(92) 64 − 42 □ 33 − 22
(93) 33 − 22 □ 78 − 51
(94) 78 − 51 □ 65 − 47
(95) 65 − 47 □ 63 − 59
(96) 53 − 29 □ 43 − 37
(97) 84 − 15 □ 73 − 49
(98) 55 − 49 □ 74 − 36
(99) 31 − 19 □ 63 − 59
(100) 43 − 39 □ 34 − 28

思维拓展

星期天，王跃在家烧水、泡茶。洗茶壶: 1 分钟; 烧开水: 15 分钟; 洗茶杯: 1 分钟; 拿茶叶: 2 分钟。王跃最少要用多少分钟泡上茶?

家园互动

点评：对______题 错______题 用时：__________

100 以内的减法运算(十一)

① 23 − 16=
② 81 − 64=
③ 54 − 27=
④ 82 − 49=
⑤ 71 − 28=
⑥ 63 − 16=
⑦ 45 − 29=
⑧ 91 − 53=
⑨ 22 − 8=
⑩ 52 − 39=
⑪ 65 − 58=
⑫ 75 − 38=
⑬ 41 − 17=
⑭ 71 − 25=
⑮ 48 − 39=
⑯ 94 − 77=
⑰ 52 − 37=
⑱ 65 − 57=
⑲ 81 − 65=
⑳ 54 − 28=
㉑ 82 − 44=
㉒ 91 − 54=
㉓ 76 − 67=
㉔ 82 − 46=
㉕ 36 − 18=

㉖ 41 − 18=
㉗ 63 − 19=
㉘ 71 − 24=
㉙ 81 − 69=
㉚ 85 − 66=
㉛ 52 − 36=
㉜ 94 − 76=
㉝ 81 − 67=
㉞ 63 − 17=
㉟ 85 − 68=
㊱ 71 − 23=
㊲ 94 − 78=
㊳ 57 − 39=
㊴ 42 − 18=
㊵ 91 − 55=
㊶ 22 − 14=
㊷ 78 − 69=
㊸ 64 − 25=
㊹ 65 − 56=
㊺ 23 − 14=
㊻ 54 − 29=
㊼ 82 − 45=
㊽ 36 − 17=
㊾ 54 − 25=
㊿ 81 − 23=

(51) 23 − 17=
(52) 52 − 35=
(53) 71 − 27=
(54) 85 − 69=
(55) 63 − 14=
(56) 45 − 28=
(57) 82 − 48=
(58) 75 − 36=
(59) 41 − 16=
(60) 22 − 8=
(61) 91 − 56=
(62) 26 − 17=
(63) 96 − 87=
(64) 67 − 58=
(65) 42 − 19=
(66) 57 − 38=
(67) 23 − 15=
(68) 41 − 14=
(69) 75 − 37=
(70) 91 − 52=
(71) 22 − 6=
(72) 94 − 75=
(73) 52 − 34=
(74) 23 − 18=
(75) 45 − 26=

(76) 41 − 19=
(77) 75 − 39=
(78) 82 − 43=
(79) 81 − 68=
(80) 41 − 12=
(81) 63 − 18=
(82) 71 − 26=
(83) 36 − 19=
(84) 81 − 66=
(85) 65 − 59=
(86) 52 − 38=
(87) 88 − 79=
(88) 63 − 15=
(89) 61 − 43 □ 54 − 22
(90) 67 − 32 □ 73 − 48
(91) 64 − 41 □ 53 − 22
(92) 43 − 22 □ 77 − 51
(93) 78 − 51 □ 68 − 43
(94) 43 − 22 □ 65 − 47
(95) 65 − 47 □ 63 − 59
(96) 31 − 19 □ 63 − 59
(97) 43 − 39 □ 34 − 28
(98) 53 − 29 □ 43 − 37
(99) 74 − 36 □ 73 − 49
(100) 55 − 19 □ 84 − 47

知识课堂

46 − (9 + 17) = 20

26

计算带小括号的加减混合运算时，要先算小括号里面的，再按照从左到右的顺序依次计算。

家园互动

点评：对______题　错______题　用时：________

第 52 天 计时测评　　＿＿月＿＿日　星期＿＿　　评分：真棒！☺　不错！☺　加油！☹

① 31－15=

② 74－35=

③ 91－57=

④ 52－35=

⑤ 34－25=

⑥ 82－56=

⑦ 81－59=

⑧ 32－18=

⑨ 91－56=

⑩ 55－48=

⑪ 31－14=

⑫ 53－25=

⑬ 84－18=

⑭ 62－27=

⑮ 81－53=

⑯ 32－14=

⑰ 65－48=

⑱ 81－58=

⑲ 34－28=

⑳ 63－59=

㉑ 32－17=

㉒ 43－37=

㉓ 91－54=

㉔ 74－38=

㉕ 73－46=

㉖ 73－49=

㉗ 74－36=

㉘ 91－58=

㉙ 55－47=

㉚ 31－12=

㉛ 52－36=

㉜ 34－26=

㉝ 62－24=

㉞ 93－34=

㉟ 34－27=

㊱ 43－36=

㊲ 52－37=

㊳ 31－17=

㊴ 73－45=

㊵ 42－16=

㊶ 85－67=

㊷ 84－19=

㊸ 32－16=

㊹ 91－55=

㊺ 55－49=

㊻ 31－19=

㊼ 43－39=

㊽ 62－26=

㊾ 93－29=

㊿ 52－33=

(51) 93－37=

(52) 62－25=

(53) 93－36=

(54) 84－16=

(55) 62－28=

(56) 91－53=

(57) 52－38=

(58) 43－35=

(59) 65－47=

(60) 53－29=

(61) 84－15=

(62) 93－38=

(63) 81－55=

(64) 32－19=

(65) 43－38=

(66) 52－34=

(67) 55－46=

(68) 31－13=

(69) 53－24=

(70) 84－17=

(71) 65－49=

(72) 32－15=

(73) 73－48=

(74) 81－54=

(75) 53－27=

(76) 31－16=

(77) 91－59=

(78) 74－39=

(79) 42－18=

(80) 85－66=

(81) 95－78=

(82) 56－19=

(83) 73－47=

(84) 73－44=

(85) 31－18=

(86) 53－26=

(87) 34－29=

(88) 81－57=

(89) 71－(43－12)=

(90) 55－(68－43)=

(91) 61－(64－42)=

(92) 46－(33－22)=

(93) 28－(78－51)=

(94) 43－(98－66)=

(95) 22－(16－5)=

(96) 53－(39－8)=

(97) 34－(75－41)=

(98) 29－(67－40)=

(99) 36－(89－68)=

(100) 82－(67－42)=

思维拓展

小猴到树上摘桃。第一次，它摘了树上桃的一半，回家时还随手从树上又摘了 2 个；第二次，它将树上剩下的 8 个桃全部摘回家。小猴共摘回多少个桃子？

家园互动

点评：对＿＿＿题　错＿＿＿题　用时：＿＿＿＿＿

100 以内的减法运算(十二)

① 73－44=
② 31－18=
③ 53－26=
④ 34－29=
⑤ 81－57=
⑥ 93－37=
⑦ 62－25=
⑧ 32－15=
⑨ 73－48=
⑩ 81－54=
⑪ 43－36=
⑫ 52－37=
⑬ 31－17=
⑭ 73－45=
⑮ 42－16=
⑯ 85－67=
⑰ 84－19=
⑱ 32－16=
⑲ 91－55=
⑳ 91－58=
㉑ 55－47=
㉒ 31－12=
㉓ 52－36=
㉔ 34－26=
㉕ 62－24=
㉖ 93－34=
㉗ 34－27=
㉘ 53－27=
㉙ 31－16=
㉚ 91－59=
㉛ 74－39=
㉜ 42－18=
㉝ 85－66=
㉞ 95－78=
㉟ 56－19=
㊱ 73－47=
㊲ 93－36=
㊳ 84－16=
㊴ 62－28=
㊵ 91－53=
㊶ 93－38=
㊷ 81－55=
㊸ 32－19=
㊹ 43－38=
㊺ 52－34=
㊻ 55－46=
㊼ 31－13=
㊽ 53－24=
㊾ 84－17=
㊿ 65－49=
(51) 91－57=
(52) 52－35=
(53) 34－25=
(54) 62－27=
(55) 81－53=
(56) 32－14=
(57) 65－48=
(58) 81－58=
(59) 34－28=
(60) 63－59=
(61) 32－17=
(62) 43－37=
(63) 91－54=
(64) 74－38=
(65) 73－46=
(66) 73－49=
(67) 74－36=
(68) 52－38=
(69) 43－35=
(70) 65－47=
(71) 53－29=
(72) 84－15=
(73) 55－49=
(74) 31－19=
(75) 43－39=
(76) 82－56=
(77) 81－59=
(78) 32－18=
(79) 91－56=
(80) 55－48=
(81) 31－14=
(82) 53－25=
(83) 84－18=
(84) 62－26=
(85) 93－29=
(86) 52－33=
(87) 31－15=
(88) 74－35=
(89) 65－47 □ 63－59
(90) 53－29 □ 43－37
(91) 84－15 □ 73－49
(92) 55－49 □ 74－36
(93) 31－19 □ 63－59
(94) 43－39 □ 34－28
(95) 67－42 □ 73－47
(96) 43－12 □ 68－43
(97) 68－43 □ 64－42
(98) 64－42 □ 33－22
(99) 33－22 □ 78－51
(100) 78－51 □ 65－47

知识课堂

在比较两个算式大小时，不要一看到题就计算，要先观察每个算式中数字的特点，都是加法算式时，如果有一个数相同，则比较另一个数大小。

家园互动

点评：对______题　错______题　用时：__________

① 63－17=
② 85－68=
③ 71－23=
④ 94－78=
⑤ 57－39=
⑥ 42－18=
⑦ 91－55=
⑧ 22－14=
⑨ 78－69=
⑩ 64－25=
⑪ 65－56=
⑫ 23－14=
⑬ 54－29=
⑭ 82－45=
⑮ 36－17=
⑯ 54－25=
⑰ 81－23=
⑱ 23－16=
⑲ 81－64=
⑳ 54－27=
㉑ 82－49=
㉒ 71－28=
㉓ 63－16=
㉔ 45－29=
㉕ 91－53=
㉖ 22－8=
㉗ 52－39=
㉘ 65－58=
㉙ 75－38=
㉚ 41－17=
㉛ 71－25=
㉜ 48－39=
㉝ 94－77=
㉞ 52－37=
㉟ 65－57=
㊱ 81－65=
㊲ 54－28=
㊳ 82－44=
㊴ 91－54=
㊵ 76－67=
㊶ 82－46=
㊷ 36－18=
㊸ 41－18=
㊹ 63－19=
㊺ 71－24=
㊻ 81－69=
㊼ 85－66=
㊽ 52－36=
㊾ 94－76=
㊿ 81－67=
(51) 23－15=
(52) 41－14=
(53) 75－37=
(54) 91－52=
(55) 22－6=
(56) 94－75=
(57) 52－34=
(58) 23－18=
(59) 45－26=
(60) 41－19=
(61) 75－39=
(62) 82－43=
(63) 81－68=
(64) 41－12=
(65) 63－18=
(66) 71－26=
(67) 36－19=
(68) 81－66=
(69) 65－59=
(70) 52－38=
(71) 88－79=
(72) 63－15=
(73) 23－17=
(74) 52－35=
(75) 71－27=
(76) 85－69=
(77) 63－14=
(78) 45－28=
(79) 82－48=
(80) 75－36=
(81) 41－16=
(82) 22－8=
(83) 91－56=
(84) 26－17=
(85) 96－87=
(86) 67－58=
(87) 42－19=
(88) 57－38=
(89) 65－47 □ 63－59
(90) 31－19 □ 63－59
(91) 43－39 □ 34－28
(92) 53－29 □ 43－37
(93) 74－36 □ 73－49
(94) 55－19 □ 84－47
(95) 61－43 □ 54－22
(96) 67－32 □ 73－48
(97) 64－41 □ 53－22
(98) 43－22 □ 77－51
(99) 78－51 □ 68－43
(100) 43－22 □ 65－47

思维拓展

节日里，学校门前的彩灯从左到右按 2 个红、3 个黄、4 个蓝的顺序排列。从左到右看，第 12 只彩灯是(　　)色，第 36 只彩灯是(　　　)色。

家园互动

点评：对______题　错______题　用时：__________

① 91 − 53=　　㉖ 41 − 14=　　�51 57 − 39=　　㊀ 81 − 65=

② 22 − 8=　　㉗ 41 − 17=　　52 42 − 18=　　㊐ 54 − 28=

③ 52 − 39=　　㉘ 71 − 25=　　53 91 − 55=　　㊈ 82 − 44=

④ 65 − 58=　　㉙ 48 − 39=　　54 22 − 14=　　㊉ 91 − 54=

⑤ 75 − 38=　　㉚ 94 − 77=　　55 78 − 69=　　⑳ 76 − 67=

⑥ 36 − 17=　　㉛ 52 − 37=　　56 64 − 25=　　81 82 − 46=

⑦ 54 − 25=　　㉜ 75 − 39=　　57 65 − 56=　　82 52 − 36=

⑧ 81 − 23=　　㉝ 82 − 43=　　58 23 − 14=　　83 94 − 76=

⑨ 23 − 17=　　㉞ 81 − 68=　　59 54 − 29=　　84 81 − 67=

⑩ 52 − 35=　　㉟ 41 − 12=　　60 82 − 45=　　85 63 − 17=

⑪ 71 − 27=　　㊱ 63 − 18=　　61 75 − 37=　　86 85 − 68=

⑫ 85 − 69=　　㊲ 71 − 26=　　62 91 − 52=　　87 71 − 23=

⑬ 63 − 14=　　㊳ 36 − 19=　　63 22 − 6=　　88 94 − 78=

⑭ 45 − 28=　　㊴ 81 − 66=　　64 94 − 75=　　89 65 − 47 □ 63 − 59

⑮ 82 − 48=　　㊵ 65 − 59=　　65 52 − 34=　　90 31 − 19 □ 63 − 59

⑯ 75 − 36=　　㊶ 52 − 38=　　66 23 − 18=　　91 43 − 39 □ 34 − 28

⑰ 41 − 16=　　㊷ 88 − 79=　　67 45 − 26=　　92 53 − 29 □ 43 − 37

⑱ 22 − 8=　　㊸ 63 − 15=　　68 41 − 19=　　93 84 − 15 □ 73 − 49

⑲ 91 − 56=　　㊹ 23 − 16=　　69 36 − 18=　　94 55 − 49 □ 74 − 36

⑳ 26 − 17=　　㊺ 81 − 64=　　70 41 − 18=　　95 68 − 43 □ 64 − 42

㉑ 96 − 87=　　㊻ 54 − 27=　　71 63 − 19=　　96 67 − 42 □ 73 − 47

㉒ 67 − 58=　　㊼ 82 − 49=　　72 71 − 24=　　97 64 − 42 □ 33 − 22

㉓ 42 − 19=　　㊽ 71 − 28=　　73 81 − 69=　　98 33 − 22 □ 78 − 51

㉔ 57 − 38=　　㊾ 63 − 16=　　74 85 − 66=　　99 78 − 51 □ 68 − 43

㉕ 23 − 15=　　㊿ 45 − 29=　　75 65 − 57=　　100 43 − 12 □ 65 − 47

知识课堂　　　　　　　　　　家园互动

$$36 + 15 \enspace < \enspace 36 + 24$$
$$=$$
$$<$$

点评：对_____题　错_____题　用时：_____

55

_____月_____日　星期_____　　　评分：真棒!☺　不错!☺　加油!☺

① 33 − 21=　　㉖ 39 − 21=　　51 68 − 40=　　76 98 − 61=

② 68 − 42=　　㉗ 33 − 22=　　52 67 − 46=　　77 83 − 30=

③ 99 − 84=　　㉘ 78 − 51=　　53 39 − 29=　　78 99 − 88=

④ 39 − 27=　　㉙ 89 − 62=　　54 99 − 81=　　79 75 − 45=

⑤ 78 − 58=　　㉚ 67 − 45=　　55 75 − 44=　　80 67 − 40=

⑥ 89 − 68=　　㉛ 34 − 23=　　56 78 − 56=　　81 98 − 66=

⑦ 64 − 40=　　㉜ 43 − 11=　　57 64 − 42=　　82 89 − 67=

⑧ 99 − 87=　　㉝ 39 − 22=　　58 89 − 66=　　83 78 − 57=

⑨ 98 − 63=　　㉞ 68 − 43=　　59 27 − 14=　　84 99 − 85=

⑩ 67 − 43=　　㉟ 99 − 86=　　60 98 − 64=　　85 77 − 57=

⑪ 39 − 28=　　36 75 − 41=　　61 43 − 10=　　86 98 − 68=

⑫ 19 − 8=　　37 64 − 41=　　62 78 − 52=　　87 34 − 24=

⑬ 39 − 25=　　38 89 − 65=　　63 28 − 15=　　88 99 − 89=

⑭ 67 − 42=　　39 78 − 55=　　64 89 − 60=　　89 44 − (75 − 41)=

⑮ 99 − 78=　　40 39 − 24=　　65 68 − 44=　　90 59 − (67 − 40)=

⑯ 26 − 16=　　41 89 − 63=　　66 99 − 80=　　91 46 − (89 − 68)=

⑰ 16 − 5=　　42 17 − 6=　　67 78 − 54=　　92 63 − (98 − 66)=

⑱ 29 − 8=　　43 27 − 17=　　68 99 − 83=　　93 78 − (78 − 51)=

⑲ 83 − 32=　　44 89 − 61=　　69 68 − 45=　　94 32 − (26 − 5)=

⑳ 68 − 46=　　45 68 − 48=　　70 43 − 12=　　95 59 − (39 − 8)=

㉑ 75 − 42=　　46 83 − 33=　　71 67 − 41=　　96 51 − (64 − 42)=

㉒ 39 − 26=　　47 67 − 47=　　72 98 − 65=　　97 49 − (33 − 22)=

㉓ 83 − 31=　　48 39 − 19=　　73 75 − 40=　　98 81 − (67 − 42)=

㉔ 64 − 44=　　49 67 − 44=　　74 99 − 82=　　99 71 − (43 − 12)=

㉕ 68 − 41=　　50 98 − 62=　　75 89 − 64=　　100 56 − (68 − 43)=

思维拓展

　　5个人5天吃了5个大馒头,按这个速度计算,20个人吃掉20个大馒头要用多少天?

家园互动

点评：对_____题　错_____题　用时：_____

① 75 − 39=
② 82 − 43=
③ 81 − 68=
④ 41 − 12=
⑤ 63 − 18=
⑥ 71 − 26=
⑦ 36 − 19=
⑧ 81 − 66=
⑨ 65 − 59=
⑩ 52 − 38=
⑪ 88 − 79=
⑫ 63 − 15=
⑬ 23 − 16=
⑭ 81 − 64=
⑮ 54 − 27=
⑯ 82 − 49=
⑰ 71 − 28=
⑱ 63 − 16=
⑲ 45 − 29=
⑳ 91 − 53=
㉑ 22 − 8=
㉒ 52 − 39=
㉓ 65 − 58=
㉔ 75 − 38=
㉕ 36 − 17=

㉖ 54 − 25=
㉗ 81 − 23=
㉘ 23 − 17=
㉙ 52 − 35=
㉚ 71 − 27=
㉛ 85 − 69=
㉜ 63 − 14=
㉝ 45 − 28=
㉞ 82 − 48=
㉟ 75 − 36=
㊱ 41 − 16=
㊲ 22 − 8=
㊳ 91 − 56=
㊴ 26 − 17=
㊵ 96 − 87=
㊶ 67 − 58=
㊷ 42 − 19=
㊸ 57 − 38=
㊹ 23 − 15=
㊺ 41 − 14=
㊻ 41 − 17=
㊼ 71 − 25=
㊽ 48 − 39=
㊾ 94 − 77=
㊿ 52 − 37=

51 65 − 57=
52 81 − 65=
53 54 − 28=
54 82 − 44=
55 91 − 54=
56 76 − 67=
57 82 − 46=
58 52 − 36=
59 94 − 76=
60 81 − 67=
61 63 − 17=
62 85 − 68=
63 71 − 23=
64 94 − 78=
65 57 − 39=
66 42 − 18=
67 91 − 55=
68 22 − 14=
69 78 − 69=
70 64 − 25=
71 65 − 56=
72 23 − 14=
73 54 − 29=
74 82 − 45=
75 75 − 37=

76 91 − 52=
77 22 − 6=
78 94 − 75=
79 52 − 34=
80 23 − 18=
81 45 − 26=
82 41 − 19=
83 36 − 18=
84 41 − 18=
85 63 − 19=
86 71 − 24=
87 81 − 69=
88 85 − 66=
89 68 − 43 □ 64 − 42
90 67 − 42 □ 73 − 47
91 64 − 42 □ 33 − 22
92 33 − 22 □ 78 − 51
93 78 − 51 □ 68 − 43
94 43 − 12 □ 65 − 47
95 65 − 47 □ 63 − 59
96 31 − 19 □ 63 − 59
97 43 − 39 □ 34 − 28
98 53 − 29 □ 43 − 37
99 84 − 15 □ 73 − 49
100 55 − 49 □ 74 − 36

知识课堂

$36 + 15 \;\gt\; 36 − 15$

两个不为 0 的数之和大于它们的差。

家园互动

点评：对_____题　错_____题　用时：_____

57

______月______日　星期______　　评分：真棒！　不错！　加油！

① 99 − 81=
② 75 − 44=
③ 78 − 56=
④ 64 − 42=
⑤ 89 − 66=
⑥ 27 − 14=
⑦ 98 − 64=
⑧ 43 − 10=
⑨ 78 − 52=
⑩ 28 − 15=
⑪ 89 − 60=
⑫ 68 − 44=
⑬ 99 − 80=
⑭ 78 − 54=
⑮ 99 − 83=
⑯ 68 − 45=
⑰ 43 − 12=
⑱ 67 − 41=
⑲ 98 − 65=
⑳ 75 − 40=
㉑ 99 − 82=
㉒ 83 − 32=
㉓ 68 − 46=
㉔ 75 − 42=
㉕ 39 − 26=
㉖ 83 − 31=
㉗ 64 − 44=
㉘ 68 − 41=
㉙ 39 − 21=
㉚ 33 − 22=
㉛ 78 − 51=
㉜ 89 − 62=
㉝ 67 − 45=
㉞ 34 − 23=
㉟ 43 − 11=
㊱ 83 − 30=
㊲ 99 − 88=
㊳ 75 − 45=
㊴ 67 − 40=
㊵ 98 − 66=
㊶ 89 − 67=
㊷ 78 − 57=
㊸ 99 − 85=
㊹ 77 − 57=
㊺ 98 − 68=
㊻ 34 − 24=
㊼ 99 − 89=
㊽ 68 − 40=
㊾ 67 − 46=
㊿ 39 − 29=
(51) 98 − 62=
(52) 33 − 21=
(53) 68 − 42=
(54) 99 − 84=
(55) 39 − 27=
(56) 78 − 58=
(57) 89 − 68=
(58) 64 − 40=
(59) 99 − 87=
(60) 98 − 63=
(61) 67 − 43=
(62) 39 − 28=
(63) 19 − 8=
(64) 39 − 25=
(65) 67 − 42=
(66) 99 − 78=
(67) 26 − 16=
(68) 16 − 5=
(69) 29 − 8=
(70) 89 − 64=
(71) 98 − 61=
(72) 39 − 22=
(73) 68 − 43=
(74) 99 − 86=
(75) 75 − 41=
(76) 64 − 41=
(77) 89 − 65=
(78) 78 − 55=
(79) 39 − 24=
(80) 89 − 63=
(81) 17 − 6=
(82) 27 − 17=
(83) 89 − 61=
(84) 68 − 48=
(85) 83 − 33=
(86) 67 − 47=
(87) 39 − 19=
(88) 67 − 44=
(89) 61 − (64 − 42)=
(90) 46 − (33 − 22)=
(91) 82 − (67 − 42)=
(92) 61 − (43 − 12)=
(93) 55 − (68 − 43)=
(94) 34 − (75 − 41)=
(95) 29 − (67 − 40)=
(96) 36 − (89 − 68)=
(97) 43 − (98 − 66)=
(98) 28 − (78 − 51)=
(99) 22 − (16 − 5)=
(100) 53 − (39 − 8)=

思维拓展

小明栽了 5 棵树，大强、李卫、大华和冬冬每个人栽的棵数和小明的同样多。他们一共栽树多少棵？

家园互动

点评：对______题　错______题　用时：__________

100 以内的连加运算(一)

① 28+12+13=
② 25+25+25=
③ 24+26+17=
④ 19+19+19=
⑤ 80+7+11=
⑥ 15+26+20=
⑦ 20+20+20=
⑧ 28+13+14=
⑨ 24+25+16=
⑩ 70+16+6=
⑪ 18+23+47=
⑫ 53+10+18=
⑬ 70+14+4=
⑭ 15+26+24=
⑮ 28+14+15=
⑯ 24+28+19=
⑰ 70+12+2=
⑱ 60+19+10=
⑲ 53+8+20=
⑳ 22+13+47=
㉑ 15+26+27=
㉒ 28+13+19=
㉓ 70+10+18=
㉔ 60+18+9=
㉕ 53+8+6=

㉖ 42+14+13=
㉗ 20+5+11=
㉘ 22+23+47=
㉙ 34+20+22=
㉚ 42+13+12=
㉛ 24+24+15=
㉜ 15+25+23=
㉝ 42+16+18=
㉞ 20+8+15=
㉟ 15+22+47=
㊱ 60+14+7=
㊲ 15+21+21=
㊳ 70+18+8=
㊴ 42+16+15=
㊵ 34+19+21=
㊶ 20+7+14=
㊷ 22+14+47=
㊸ 17+35+47=
㊹ 42+15+14=
㊺ 53+4+10=
㊻ 60+16+8=
㊼ 33+20+24=
㊽ 23+14+47=
㊾ 33+17+20=
㊿ 20+5+12=

(51) 34+22+24=
(52) 42+17+19=
(53) 14+35+47=
(54) 24+22+13=
(55) 15+24+23=
(56) 28+11+12=
(57) 31+31+31=
(58) 12+23+34=
(59) 17+17+17=
(60) 24+23+14=
(61) 70+15+14=
(62) 53+10+10=
(63) 47+23+16=
(64) 20+9+18=
(65) 70+16+12=
(66) 24+18+27=
(67) 24+21+12=
(68) 13+13+13=
(69) 16+16+17=
(70) 28+10+10=
(71) 15+22+23=
(72) 23+20+10=
(73) 41+12+10=
(74) 34+25+24=
(75) 36+12+47=

(76) 20+4+10=
(77) 34+18+22=
(78) 53+6+14=
(79) 70+2+18=
(80) 27+20+19=
(81) 15+5+20=
(82) 60+12+8=
(83) 53+4+7=
(84) 20+20+10=
(85) 33+19+22=
(86) 14+15+17=
(87) 24+29+20=
(88) 33+26+21=
(89) 20+(10+15)=
(90) 15+(21+21)=
(91) 70+(18+8)=
(92) 42+(16+15)=
(93) 34+(19+21)=
(94) 20+(7+14)=
(95) 22+(14+47)=
(96) 15+(5+20)=
(97) 60+(12+8)=
(98) 53+(4+7)=
(99) 20+(20+10)=
(100) 60+(18+9)=

知识课堂

角是由一个顶点和两条边组成的。如：用折纸的方法可以得到角；也可以在纸上用直尺画出角：从一点起，用直尺向不同的方向画两条射线，就画成了一个角。

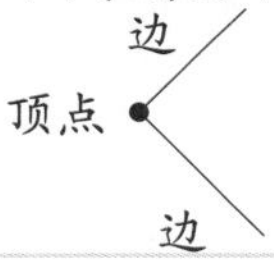

家园互动

点评：对______题　错______题　用时：__________

① 53+8+20=
② 22+13+47=
③ 15+26+27=
④ 28+13+19=
⑤ 70+10+18=
⑥ 60+18+9=
⑦ 53+8+6=
⑧ 42+14+13=
⑨ 20+5+11=
⑩ 22+23+47=
⑪ 34+20+22=
⑫ 42+13+12=
⑬ 24+24+15=
⑭ 15+25+23=
⑮ 42+16+18=
⑯ 20+8+15=
⑰ 15+22+47=
⑱ 60+14+7=
⑲ 15+21+21=
⑳ 70+18+8=
㉑ 42+16+15=
㉒ 34+19+21=
㉓ 20+7+14=
㉔ 22+14+47=
㉕ 17+35+47=
㉖ 42+15+14=
㉗ 53+4+10=
㉘ 60+16+8=
㉙ 33+20+24=
㉚ 23+14+47=
㉛ 33+17+20=
㉜ 20+5+12=
㉝ 28+12+13=
㉞ 25+25+25=
㉟ 24+26+17=
㊱ 20+20+19=
㊲ 80+7+11=
㊳ 15+26+20=
㊴ 20+20+20=
㊵ 28+13+14=
㊶ 24+25+16=
㊷ 70+16+6=
㊸ 18+23+47=
㊹ 53+10+18=
㊺ 70+14+4=
㊻ 15+26+24=
㊼ 28+14+15=
㊽ 24+28+19=
㊾ 70+12+2=
㊿ 60+19+10=
(51) 60+(12+8)=
(52) 53+(4+7)=
(53) 20+(20+10)=
(54) 60+(18+9)=
(55) 28+10+10=
(56) 15+22+23=
(57) 23+20+10=
(58) 41+12+10=
(59) 34+25+24=
(60) 36+12+47=
(61) 20+4+10=
(62) 34+18+22=
(63) 53+6+14=
(64) 70+2+18=
(65) 27+20+19=
(66) 15+5+20=
(67) 60+12+8=
(68) 53+4+7=
(69) 20+20+10=
(70) 33+19+22=
(71) 14+15+17=
(72) 24+29+20=
(73) 33+26+21=
(74) 20+(10+15)=
(75) 15+(21+21)=
(76) 70+(18+8)=
(77) 42+(16+15)=
(78) 34+(19+21)=
(79) 20+(7+14)=
(80) 22+(14+47)=
(81) 15+(5+20)=
(82) 34+22+24=
(83) 42+17+19=
(84) 14+35+47=
(85) 24+22+13=
(86) 15+24+23=
(87) 28+11+12=
(88) 31+31+31=
(89) 12+23+34=
(90) 17+17+17=
(91) 24+23+14=
(92) 70+15+14=
(93) 53+10+10=
(94) 47+23+16=
(95) 20+9+18=
(96) 70+16+12=
(97) 24+18+27=
(98) 24+21+12=
(99) 13+13+13=
(100) 16+16+17=

思维拓展

一座 5 层高的塔，最上边一层装了 2 盏灯，往下每低一层就多装 4 盏灯，最下面一层要装多少盏灯？

家园互动

点评：对______题　错______题　用时：__________

① 60+14+7=

② 15+21+21=

③ 70+18+8=

④ 42+16+15=

⑤ 34+19+21=

⑥ 20+7+14=

⑦ 22+14+47=

⑧ 17+35+47=

⑨ 42+15+14=

⑩ 53+4+10=

⑪ 60+16+18=

⑫ 33+20+34=

⑬ 23+14+27=

⑭ 33+17+20=

⑮ 20+5+12=

⑯ 28+12+13=

⑰ 25+25+25=

⑱ 24+26+17=

⑲ 19+19+19=

⑳ 80+7+11=

㉑ 15+26+20=

㉒ 20+20+20=

㉓ 28+13+14=

㉔ 24+25+16=

㉕ 70+16+6=

㉖ 18+23+47=

㉗ 53+10+18=

㉘ 70+14+4=

㉙ 15+26+24=

㉚ 28+14+15=

㉛ 24+28+19=

㉜ 70+12+2=

㉝ 60+19+10=

㉞ 53+8+20=

㉟ 22+13+47=

㊱ 15+26+27=

㊲ 28+13+19=

㊳ 70+10+18=

㊴ 60+18+11=

㊵ 53+18+4=

㊶ 42+14+13=

㊷ 20+15+11=

㊸ 22+23+47=

㊹ 34+20+22=

㊺ 42+13+12=

㊻ 24+24+15=

㊼ 15+25+23=

㊽ 42+16+18=

㊾ 20+8+15=

㊿ 15+22+47=

(51) 60+(12+18)=

(52) 53+(4+7)=

(53) 22+(30+10)=

(54) 60+(18+9)=

(55) 28+10+10=

(56) 15+22+23=

(57) 23+20+10=

(58) 41+12+10=

(59) 34+25+24=

(60) 36+12+47=

(61) 20+4+10=

(62) 34+18+22=

(63) 53+6+14=

(64) 70+2+18=

(65) 27+20+19=

(66) 15+5+20=

(67) 60+12+8=

(68) 53+4+7=

(69) 20+20+10=

(70) 33+19+22=

(71) 15+(21+21)=

(72) 71+(18+8)=

(73) 28+11+12=

(74) 31+31+31=

(75) 14+15+17=

(76) 24+29+20=

(77) 33+26+21=

(78) 20+(10+15)=

(79) 12+23+34=

(80) 17+17+17=

(81) 24+23+14=

(82) 70+15+14=

(83) 53+15+10=

(84) 47+23+16=

(85) 20+19+18=

(86) 70+16+14=

(87) 24+18+27=

(88) 24+21+12=

(89) 13+13+13=

(90) 16+16+17=

(91) 32+(16+15)=

(92) 34+(19+31)=

(93) 20+(7+14)=

(94) 22+(14+47)=

(95) 15+(5+20)=

(96) 34+22+24=

(97) 42+17+19=

(98) 14+35+47=

(99) 24+22+13=

⑩⓪ 15+24+23=

知识课堂　　　　　　　　　　　　家园互动

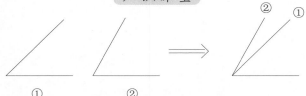

①　　　　②　　　　　　　②①

如图,图②的角较大。比较两个角大小时,可采用叠合法。

点评:对_____题　错_____题　用时:_____

______月______日 星期_____ 评分: 真棒!☺ 不错!☺ 加油!☺

① 52+8+20=	㉖ 22+15+14=	(51) 60+(12+8)=	(76) 40+(12+18)=
② 22+13+47=	㉗ 56+4+20=	(52) 53+(4+7)=	(77) 32+(46+14)=
③ 15+26+24=	㉘ 60+16+4=	(53) 20+(20+10)=	(78) 24+(29+21)=
④ 28+13+19=	㉙ 33+10+24=	(54) 60+(18+9)=	(79) 20+(7+14)=
⑤ 60+10+18=	㉚ 13+34+47=	(55) 28+10+10=	(80) 22+(14+47)=
⑥ 60+18+9=	㉛ 33+17+20=	(56) 15+22+23=	(81) 25+(5+20)=
⑦ 53+8+6=	㉜ 20+5+12=	(57) 23+20+10=	(82) 24+32+24=
⑧ 42+14+13=	㉝ 28+12+13=	(58) 41+12+10=	(83) 42+17+19=
⑨ 20+15+5=	㉞ 25+25+25=	(59) 34+25+24=	(84) 14+35+47=
⑩ 22+23+47=	㉟ 24+26+17=	(60) 36+12+47=	(85) 24+22+13=
⑪ 34+16+22=	㊱ 20+20+19=	(61) 20+4+10=	(86) 15+24+23=
⑫ 52+13+12=	㊲ 80+7+11=	(62) 34+18+22=	(87) 28+11+12=
⑬ 24+24+15=	㊳ 15+26+20=	(63) 53+6+14=	(88) 31+31+31=
⑭ 15+25+23=	㊴ 20+20+20=	(64) 70+2+18=	(89) 12+23+34=
⑮ 42+16+18=	㊵ 28+13+14=	(65) 27+20+19=	(90) 17+17+17=
⑯ 20+8+15=	㊶ 24+25+16=	(66) 15+5+20=	(91) 24+23+14=
⑰ 15+22+47=	㊷ 70+16+6=	(67) 60+12+8=	(92) 70+15+14=
⑱ 40+14+7=	㊸ 18+23+47=	(68) 53+4+7=	(93) 53+10+10=
⑲ 15+11+21=	㊹ 53+10+18=	(69) 10+20+10=	(94) 47+23+16=
⑳ 70+18+8=	㊺ 70+14+4=	(70) 33+19+22=	(95) 20+9+18=
㉑ 42+16+15=	㊻ 15+26+24=	(71) 14+15+17=	(96) 70+16+12=
㉒ 34+19+21=	㊼ 28+14+15=	(72) 24+29+20=	(97) 24+18+27=
㉓ 20+7+14=	㊽ 24+28+19=	(73) 33+26+21=	(98) 24+21+12=
㉔ 22+14+47=	㊾ 70+12+2=	(74) 20+(25+15)=	(99) 17+13+15=
㉕ 17+35+47=	㊿ 60+19+10=	(75) 15+(31+29)=	(100) 15+15+17=

思维拓展

最大的两位数和最小的三位数相差(　　　)。

家园互动

点评：对______题 错______题 用时：__________

① 75 - 13 - 22 =
② 98 - 35 - 14 =
③ 64 - 18 - 19 =
④ 50 - 19 - 20 =
⑤ 98 - 29 - 30 =
⑥ 73 - 28 - 29 =
⑦ 64 - 18 - 19 =
⑧ 50 - 14 - 16 =
⑨ 86 - 32 - 33 =
⑩ 98 - 19 - 30 =
⑪ 67 - 33 - 20 =
⑫ 18 - 9 - 5 =
⑬ 31 - 13 - 2 =
⑭ 64 - 15 - 16 =
⑮ 38 - 8 - 28 =
⑯ 86 - 33 - 34 =
⑰ 48 - 16 - 17 =
⑱ 75 - 16 - 27 =
⑲ 86 - 29 - 30 =
⑳ 73 - 20 - 30 =
㉑ 73 - 29 - 28 =
㉒ 64 - 19 - 20 =
㉓ 75 - 18 - 28 =
㉔ 73 - 27 - 28 =
㉕ 36 - 15 - 8 =

㉖ 86 - 25 - 26 =
㉗ 64 - 14 - 20 =
㉘ 28 - 10 - 12 =
㉙ 73 - 22 - 23 =
㉚ 86 - 26 - 20 =
㉛ 36 - 6 - 14 =
㉜ 48 - 17 - 18 =
㉝ 48 - 11 - 13 =
㉞ 75 - 19 - 30 =
㉟ 98 - 24 - 32 =
㊱ 73 - 24 - 25 =
㊲ 64 - 12 - 13 =
㊳ 28 - 6 - 8 =
㊴ 50 - 16 - 17 =
㊵ 36 - 6 - 17 =
㊶ 75 - 14 - 25 =
㊷ 98 - 23 - 34 =
㊸ 75 - 17 - 28 =
㊹ 86 - 28 - 29 =
㊺ 29 - 11 - 12 =
㊻ 47 - 25 - 15 =
㊼ 73 - 26 - 27 =
㊽ 48 - 14 - 15 =
㊾ 48 - 11 - 12 =
㊿ 64 - 10 - 12 =

㉛ 73 - 21 - 22 =
㉜ 86 - 24 - 24 =
㉝ 50 - 18 - 19 =
㉞ 28 - 12 - 14 =
㉟ 86 - 24 - 25 =
㊱ 64 - 19 - 19 =
㊲ 36 - 8 - 19 =
㊳ 50 - 13 - 14 =
㊴ 48 - 18 - 19 =
㊵ 36 - 4 - 15 =
㊶ 28 - 8 - 10 =
㊷ 86 - 26 - 25 =
㊸ 73 - 23 - 9 =
㊹ 98 - 10 - 40 =
㊺ 48 - 14 - 13 =
㊻ 98 - 38 - 25 =
㊼ 50 - 20 - 18 =
㊽ 64 - 24 - 15 =
㊾ 76 - 30 - 35 =
⑺ 98 - 25 - 25 =
⑺ 75 - 10 - 20 =
⑺ 86 - 26 - 20 =
⑺ 50 - 15 - 13 =
⑺ 28 - 8 - 6 =
⑺ 36 - 15 - 2 =

㊻ 86 - 27 - 28 =
㊼ 75 - 15 - 16 =
㊽ 98 - 30 - 30 =
㊾ 73 - 20 - 13 =
⑻ 65 - 15 - 15 =
⑻ 36 - 6 - 15 =
⑻ 86 - 31 - 32 =
⑻ 48 - 15 - 16 =
⑻ 36 - 7 - 18 =
⑻ 36 - 6 - 19 =
⑻ 50 - 15 - 15 =
⑻ 48 - 13 - 15 =
⑻ 48 - 20 - 10 =
⑻ 13 - (　) - 3 = 5
⑼ 20 - 5 - (　) = 3
⑼ 19 - 4 - (　) = 8
⑼ (　) - 2 - 5 = 9
⑼ 27 - (　) - 2 = 6
⑼ (　) - 6 - 2 = 7
⑼ 33 - 5 - 12 ○ 17
⑼ 45 - 23 - 14 ○ 16
⑼ 7 - 2 - 3 ○ 4
⑼ 14 - 1 - 4 ○ 10
⑼ 32 - 14 - 5 ○ 13
⑽ 9 - 3 - 2 ○ 5

知识课堂　　　　　　　　　家园互动

给下边图形添上一条线段。

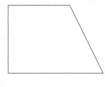
　增加2个直角

　增加3个直角

点评：对＿＿＿＿题　错＿＿＿＿题　用时：＿＿＿＿＿

______月______日　星期_____　评分：真棒！　不错！　加油！

① 98－24－32=
② 73－24－25=
③ 64－12－13=
④ 28－6－8=
⑤ 50－16－17=
⑥ 36－6－17=
⑦ 75－14－25=
⑧ 98－23－34=
⑨ 75－17－28=
⑩ 86－28－29=
⑪ 29－11－12=
⑫ 47－25－15=
⑬ 73－27－28=
⑭ 36－15－8=
⑮ 86－25－26=
⑯ 64－14－20=
⑰ 28－10－12=
⑱ 73－22－23=
⑲ 86－26－20=
⑳ 73－26－27=
㉑ 48－14－15=
㉒ 48－11－12=
㉓ 64－10－12=
㉔ 75－13－22=
㉕ 98－35－14=
㉖ 64－18－19=
㉗ 50－19－20=
㉘ 98－29－30=
㉙ 73－28－29=
㉚ 64－18－19=
㉛ 50－14－16=
㉜ 86－32－33=
㉝ 98－19－30=
㉞ 67－33－20=
㉟ 18－9－5=
㊱ 31－13－2=
㊲ 64－15－16=
㊳ 38－8－28=
㊴ 86－33－34=
㊵ 48－16－17=
㊶ 75－16－27=
㊷ 86－29－30=
㊸ 73－20－30=
㊹ 73－29－28=
㊺ 64－19－20=
㊻ 75－18－28=
㊼ 36－6－14=
㊽ 48－17－18=
㊾ 48－11－13=
㊿ 75－19－30=
(51) 50－30－8=
(52) 64－24－15=
(53) 76－30－35=
(54) 98－25－25=
(55) 75－10－20=
(56) 86－26－20=
(57) 50－15－13=
(58) 28－8－6=
(59) 36－6－19=
(60) 50－15－15=
(61) 48－13－15=
(62) 48－20－10=
(63) 36－15－2=
(64) 86－27－28=
(65) 75－15－16=
(66) 98－30－30=
(67) 73－20－13=
(68) 65－15－15=
(69) 36－6－15=
(70) 86－31－32=
(71) 73－21－22=
(72) 86－24－24=
(73) 50－18－19=
(74) 28－12－14=
(75) 86－24－25=
(76) 64－19－19=
(77) 36－8－19=
(78) 50－13－14=
(79) 48－18－19=
(80) 36－4－15=
(81) 28－8－10=
(82) 86－26－25=
(83) 73－23－9=
(84) 98－10－40=
(85) 48－14－13=
(86) 98－38－25=
(87) 48－15－16=
(88) 36－7－18=
(89) 43－(　　)－5=5
(90) 30－15－(　　)=3
(91) 29－14－(　　)=8
(92) (　　)－12－5=9
(93) 27－(　　)－2=6
(94) (　　)－16－3=7
(95) 33－5－12○17
(96) 45－23－14○16
(97) 17－2－3○14
(98) 28－2－4○23
(99) 32－14－5○13
(100) 19－3－5○9

思维拓展

兄弟俩共有邮票 70 张，如果哥哥给弟弟 4 张邮票后，还比弟弟多 2 张，哥哥原来有邮票多少张？

家园互动

点评：对______题　错______题　用时：__________

100 以内的连减运算(二)

① 75－13－22=	㉖ 86－25－26=	(51) 73－21－22=	(76) 86－27－28=
② 98－35－14=	㉗ 64－14－20=	(52) 86－24－24=	(77) 75－15－16=
③ 64－18－19=	㉘ 28－10－12=	(53) 50－18－19=	(78) 98－30－30=
④ 50－19－20=	㉙ 73－22－23=	(54) 28－12－14=	(79) 73－20－13=
⑤ 98－29－30=	㉚ 86－26－20=	(55) 86－24－25=	(80) 65－15－15=
⑥ 73－28－29=	㉛ 36－6－14=	(56) 64－19－19=	(81) 36－6－15=
⑦ 64－18－19=	㉜ 48－17－18=	(57) 36－8－19=	(82) 86－31－32=
⑧ 50－14－16=	㉝ 48－11－13=	(58) 50－13－14=	(83) 48－15－16=
⑨ 86－32－33=	㉞ 75－19－30=	(59) 48－18－19=	(84) 36－7－18=
⑩ 98－19－30=	㉟ 98－24－32=	(60) 36－4－15=	(85) 36－6－19=
⑪ 67－33－20=	㊱ 73－24－25=	(61) 28－8－10=	(86) 50－15－15=
⑫ 18－9－5=	㊲ 64－12－13=	(62) 86－26－25=	(87) 48－13－15=
⑬ 31－13－2=	㊳ 28－6－8=	(63) 73－23－9=	(88) 48－20－10=
⑭ 64－15－16=	㊴ 50－16－17=	(64) 98－10－40=	(89) 13－(　　)－3=5
⑮ 38－8－28=	㊵ 36－6－17=	(65) 48－14－13=	(90) 20－5－(　　)=3
⑯ 86－33－34=	㊶ 75－14－25=	(66) 98－38－25=	(91) 19－4－(　　)=8
⑰ 48－16－17=	㊷ 98－23－34=	(67) 50－20－18=	(92) (　　)－2－5=9
⑱ 75－16－27=	㊸ 75－17－28=	(68) 64－24－15=	(93) 27－(　　)－2=6
⑲ 86－29－30=	㊹ 86－28－29=	(69) 76－30－35=	(94) (　　)－6－2=7
⑳ 73－20－30=	㊺ 29－11－12=	(70) 98－25－25=	(95) 33－5－12○17
㉑ 73－29－28=	㊻ 47－25－15=	(71) 75－10－20=	(96) 45－23－14○16
㉒ 64－19－20=	㊼ 73－26－27=	(72) 86－26－20=	(97) 7－2－3○4
㉓ 75－18－28=	㊽ 48－14－15=	(73) 50－15－13=	(98) 14－1－4○10
㉔ 73－27－28=	㊾ 48－11－12=	(74) 28－8－6=	(99) 32－14－5○13
㉕ 36－15－8=	㊿ 64－10－12=	(75) 36－15－2=	(100) 9－3－2○5

知识课堂

$$2+2+2+2+2=10$$

5 个 2 相加可以用乘法算式 5 × 2 = 10 或者 2 × 5 = 10 表示。加法算式中的几个数必须相同,才可以写成乘法算式。

家园互动

点评:对______题　错______题　用时:__________

① 68－24－32=	㉖ 64－18－19=	(51) 50－30－8=	(76) 64－19－19=
② 73－24－25=	㉗ 50－19－20=	(52) 64－24－15=	(77) 36－8－19=
③ 64－12－13=	㉘ 98－29－30=	(53) 76－30－35=	(78) 50－13－14=
④ 28－6－8=	㉙ 73－28－29=	(54) 98－25－25=	(79) 48－18－19=
⑤ 50－16－17=	㉚ 64－18－19=	(55) 75－10－20=	(80) 36－4－15=
⑥ 36－6－17=	㉛ 50－14－16=	(56) 86－26－20=	(81) 48－8－10=
⑦ 75－14－25=	㉜ 86－32－33=	(57) 50－15－13=	(82) 86－26－25=
⑧ 78－23－34=	㉝ 98－19－30=	(58) 28－18－6=	(83) 73－23－19=
⑨ 75－17－28=	㉞ 67－33－20=	(59) 36－6－19=	(84) 98－10－40=
⑩ 86－18－29=	㉟ 28－9－5=	(60) 50－15－15=	(85) 48－14－13=
⑪ 49－11－12=	㊱ 51－23－12=	(61) 48－13－15=	(86) 98－38－25=
⑫ 47－25－15=	㊲ 64－15－16=	(62) 48－20－10=	(87) 48－15－16=
⑬ 73－27－28=	㊳ 38－8－28=	(63) 36－15－2=	(88) 36－7－18=
⑭ 36－15－8=	㊴ 86－33－34=	(64) 86－27－28=	(89) 53－(　　)－15=5
⑮ 86－25－26=	㊵ 48－16－17=	(65) 75－15－16=	(90) 30－15－(　　)=3
⑯ 64－14－20=	㊶ 75－16－27=	(66) 98－30－30=	(91) 39－4－(　　)=8
⑰ 28－10－12=	㊷ 86－29－30=	(67) 73－20－13=	(92) (　　)－12－5=19
⑱ 73－22－23=	㊸ 73－20－30=	(68) 65－15－15=	(93) 57－(　　)－2=6
⑲ 86－26－20=	㊹ 73－29－28=	(69) 36－6－15=	(94) (　　)－16－3=17
⑳ 73－26－27=	㊺ 64－19－20=	(70) 86－31－32=	(95) 43－5－12○27
㉑ 48－14－15=	㊻ 75－18－28=	(71) 73－21－22=	(96) 55－23－14○16
㉒ 48－11－12=	㊼ 36－6－14=	(72) 86－24－24=	(97) 37－2－3○33
㉓ 64－10－12=	㊽ 48－17－18=	(73) 50－18－19=	(98) 28－12－4○13
㉔ 75－13－22=	㊾ 48－11－13=	(74) 28－12－14=	(99) 42－14－5○23
㉕ 98－35－14=	㊿ 75－19－30=	(75) 86－24－25=	(100) 39－13－5○19

思维拓展

甲数比乙数少 15，乙数是 28，甲乙两数的和是(　　　　)。

家园互动

点评：对______题　错______题　用时：__________

100 以内的加、减混合运算(一)

① 48+16-27=
② 75+16-47=
③ 86-29-30=
④ 73+20-30=
⑤ 23+29-34=
⑥ 64-19-20=
⑦ 75+18-25=
⑧ 63+27-28=
⑨ 36+15-8=
⑩ 86-25+16=
⑪ 64+14-20=
⑫ 28+10-12=
⑬ 73+22-23=
⑭ 86-53+20=
⑮ 36+6-14=
⑯ 48+17-18=
⑰ 48-11-13=
⑱ 75+19-30=
⑲ 48-24+32=
⑳ 73+24-45=
㉑ 64+12-13=
㉒ 28+6-8=
㉓ 50+16-17=
㉔ 36+6-17=
㉕ 75+14-25=
㉖ 98-23+14=
㉗ 75+17-28=
㉘ 86+8-29=
㉙ 29+11-12=
㉚ 47-25+15=
㉛ 73-26+27=
㉜ 48-14+15=
㉝ 48-11-12=
㉞ 64+10-12=
㉟ 73-21+22=
㊱ 86-24-24=
㊲ 50+18-39=
㊳ 28+12-14=
㊴ 86-24+5=
㊵ 64-19-19=
㊶ 36+8-19=
㊷ 50+13-14=
㊸ 48+18-19=
㊹ 36+4-15=
㊺ 28-8+10=
㊻ 86+12-25=
㊼ 73-23+9=
㊽ 78+10-40=
㊾ 48+14-13=
㊿ 98-38+25=
(51) 50-20+18=
(52) 64-24+15=
(53) 76-30+15=
(54) 98-25+15=
(55) 75-20-20=
(56) 86-26+30=
(57) 50+15-13=
(58) 28+8-6=
(59) 36+15-21=
(60) 86-27+28=
(61) 75-15+16=
(62) 98-30-30=
(63) 73+20-43=
(64) 65+15-35=
(65) 36-6+15=
(66) 86-41+32=
(67) 48+18-16=
(68) 36+7-18=
(69) 36-6+19=
(70) 50-10+15=
(71) 48+13-15=
(72) 48+20-41=
(73) 75+13-22=
(74) 98-35+14=
(75) 64-18-19=
(76) 50+19-20=
(77) 98-48+30=
(78) 73+26-29=
(79) 64+18-19=
(80) 50-14-16=
(81) 86-56+33=
(82) 98-55+30=
(83) 67+32-20=
(84) 18+9+5=
(85) 31-13+2=
(86) 64+15-16=
(87) 38+8-28=
(88) 86-33+25=
(89) 63-(32-10)=
(90) 90-(37+38)=
(91) 80-(20+31)=
(92) 90-(30+31)=
(93) 49-(30-17)=
(94) 68-(36+10)=
(95) 87-(27+38)=
(96) 73-(23+14)=
(97) 99-(45+31)=
(98) 76-(38+11)=
(99) 77-(13+34)=
(100) 61-(32-10)=

知识课堂

$$1 \times 5 = 5$$
$$2 \times 5 = 10$$

5 的乘法口诀有 5 句，每相邻两句口诀的积相差 5，积的个位不是 5 就是 0。

家园互动

点评：对______题　错______题　用时：__________

_____月_____日 星期_____   评分： 真棒！☺ 不错！☺ 加油！☺

① 73+26−29=

② 50+14−16=

③ 96−56+33=

④ 98−55+30=

⑤ 67+32−20=

⑥ 18+9+5=

⑦ 41−13+2=

⑧ 64+15−16=

⑨ 38+8−28=

⑩ 86−33+25=

⑪ 48+16−27=

⑫ 75+16−47=

⑬ 86−29−30=

⑭ 73+20−30=

⑮ 23+29−34=

⑯ 64−19−20=

⑰ 75+18−25=

⑱ 63+27−28=

⑲ 36+15−8=

⑳ 86−25+16=

㉑ 64+14−20=

㉒ 28+10−12=

㉓ 73+22−23=

㉔ 86−53+20=

㉕ 36+6−14=

㉖ 48+17−18=

㉗ 48−11−13=

㉘ 35+19−30=

㉙ 48−24+32=

㉚ 73+24−45=

㉛ 64+12−13=

㉜ 28+6−18=

㉝ 50+16−17=

㉞ 36+6−17=

㉟ 75+14−25=

㊱ 98−23+14=

㊲ 75+17−28=

㊳ 86+8−29=

㊴ 29+11−12=

㊵ 47−25+15=

㊶ 73−26+27=

㊷ 48−14+15=

㊸ 48−11−12=

㊹ 64+10−12=

㊺ 73−21+22=

㊻ 64+18−19=

㊼ 86−24−24=

㊽ 50+18−39=

㊾ 28+12−14=

㊿ 86−24+5=

51 64−19−19=

52 36+8−19=

53 50+13−14=

54 48+18−19=

55 36+4−15=

56 28−8+10=

57 82+14−21=

58 73−23+9=

59 78+10−40=

60 48+14−13=

61 98−38+25=

62 50−20+18=

63 64−24+15=

64 76−30+15=

65 98−25+15=

66 75−20−20=

67 86−26+30=

68 50+15−13=

69 28+8−6=

70 36+15−21=

71 86−27+28=

72 75−15+16=

73 98−30−30=

74 73+20−43=

75 65+15−35=

76 36−6+15=

77 86−41+32=

78 48+18−16=

79 36+7−18=

80 36−6+19=

81 50−10+15=

82 48+13−15=

83 48+20−41=

84 75+13−22=

85 98−35+14=

86 64−18−19=

87 50+19−20=

88 98−48+30=

89 63−(32−10)=

90 90−(37+38)=

91 80−(20+31)=

92 90−(30+31)=

93 49−(30−17)=

94 68−(36+10)=

95 87−(27+38)=

96 73−(23+14)=

97 99−(45+31)=

98 76−(38+11)=

99 77−(13+34)=

100 61−(32−10)=

思维拓展

汽车每隔 15 分钟开出一班，哥哥想乘 9 时 10 分的一班车，但到站时，已是 9 时 20 分，那么他要等多少分钟才能乘上下一班车？

家园互动

点评：对_____题 错_____题 用时：_____

100 以内的加、减混合运算(二)

① 73+26-29=
② 50+14-16=
③ 96-56+33=
④ 98-55+30=
⑤ 67+32-20=
⑥ 28+19+15=
⑦ 41-13+2=
⑧ 64+15-16=
⑨ 38+8-28=
⑩ 86-33+25=
⑪ 48+16-27=
⑫ 75+16-47=
⑬ 86-29-30=
⑭ 73+20-30=
⑮ 23+29-34=
⑯ 64-19-20=
⑰ 75+18-25=
⑱ 63+27-28=
⑲ 36+15-8=
⑳ 86-25+16=
㉑ 64+14-20=
㉒ 28+10-12=
㉓ 73+22-23=
㉔ 86-53+20=
㉕ 36+6-14=
㉖ 48+17-18=
㉗ 48-11-13=
㉘ 35+19-30=
㉙ 48-24+32=
㉚ 73+24-45=
㉛ 64+12-13=
㉜ 28+6-18=
㉝ 50+16-17=
㉞ 36+6-17=
㉟ 75+14-25=
㊱ 98-23+14=
㊲ 75+17-28=
㊳ 86+8-29=
㊴ 29+11-12=
㊵ 47-25+15=
㊶ 73-26+27=
㊷ 48-14+15=
㊸ 48-11-12=
㊹ 64+10-12=
㊺ 73-21+22=
㊻ 64+18-19=
㊼ 86-24-24=
㊽ 50+18-39=
㊾ 28+12-14=
㊿ 66-24+15=
(51) 73-23+9=
(52) 49-(30-17)=
(53) 68-(36+10)=
(54) 87-(27+38)=
(55) 73-(23+14)=
(56) 99-(45+31)=
(57) 78+10-40=
(58) 48+14-13=
(59) 98-38+25=
(60) 50-20+18=
(61) 64-24+15=
(62) 76-30+15=
(63) 75-15+16=
(64) 98-30-30=
(65) 73+20-43=
(66) 65+15-35=
(67) 36-6+15=
(68) 86-41+32=
(69) 48+18-16=
(70) 36+7-18=
(71) 36-6+19=
(72) 50-10+15=
(73) 48+13-15=
(74) 48+20-41=
(75) 75+13-22=
(76) 98-35+14=
(77) 64-18-19=
(78) 50+19-20=
(79) 98-48+30=
(80) 63-(32-10)=
(81) 90-(37+38)=
(82) 98-25+15=
(83) 75-20-20=
(84) 86-26+30=
(85) 50+15-13=
(86) 48+8-16=
(87) 36+15-21=
(88) 86-27+28=
(89) 80-(20+31)=
(90) 90-(30+31)=
(91) 64-19-19=
(92) 36+8-19=
(93) 50+13-14=
(94) 48+18-19=
(95) 36+4-15=
(96) 28-8+10=
(97) 82+14-21=
(98) 76-(38+11)=
(99) 77-(13+34)=
(100) 61-(32-10)=

知识课堂

一一得一,一二得二,一三得三,一四得四,二二得四,二三得六,二四得八,三三得九,三四十二,四四十六。利用乘法口诀计算。

家园互动

点评:对______题 错______题 用时:__________

① 86－25+16=	㉖ 73－21+22=	(51) 73－(23+14)=	(76) 80－(20+31)=
② 64+14－20=	㉗ 64+18－19=	(52) 77－(13+34)=	(77) 90－(30+31)=
③ 28+10－12=	㉘ 86－24－24=	(53) 61－(32－10)=	(78) 49－(30－17)=
④ 73+22－23=	㉙ 50+18－39=	(54) 28+8－6=	(79) 68－(36+10)=
⑤ 86－53+20=	㉚ 28+12－14=	(55) 36+15－21=	(80) 87－(27+38)=
⑥ 36+6－14=	㉛ 86－24+5=	(56) 86－27+28=	(81) 64－19－19=
⑦ 48+17－18=	㉜ 73+26－39=	(57) 75－15+16=	(82) 36+8－19=
⑧ 48－11－13=	㉝ 50+14－16=	(58) 98－30－30=	(83) 50+13－14=
⑨ 35+19－30=	㉞ 96－56+33=	(59) 73+20－43=	(84) 48+18－19=
⑩ 48－24+32=	㉟ 98－55+30=	(60) 65+15－35=	(85) 36+4－15=
⑪ 73+24－45=	㊱ 67+32－20=	(61) 36－6+15=	(86) 28－8+10=
⑫ 64+12－13=	㊲ 18+9+5=	(62) 86－41+32=	(87) 82+14－21=
⑬ 28+6－18=	㊳ 41－13+2=	(63) 48+18－16=	(88) 73－23+9=
⑭ 50+16－17=	㊴ 64+15－16=	(64) 36+7－18=	(89) 78+10－40=
⑮ 36+6－17=	㊵ 38+8－28=	(65) 36－6+19=	(90) 48+14－13=
⑯ 75+14－25=	㊶ 86－33+25=	(66) 50－10+15=	(91) 98－38+25=
⑰ 98－23+14=	㊷ 48+16－27=	(67) 48+13－15=	(92) 50－20+18=
⑱ 75+17－28=	㊸ 75+16－47=	(68) 48+20－41=	(93) 64－24+15=
⑲ 86+8－29=	㊹ 86－29－30=	(69) 75+13－22=	(94) 76－30+15=
⑳ 29+11－12=	㊺ 73+20－30=	(70) 98－35+14=	(95) 98－25+15=
㉑ 47－25+15=	㊻ 23+29－34=	(71) 64－18－19=	(96) 75－20－20=
㉒ 73－26+27=	㊼ 64－19－20=	(72) 50+19－20=	(97) 86－26+30=
㉓ 48－14+15=	㊽ 75+18－25=	(73) 98－48+30=	(98) 50+15－13=
㉔ 48－11－12=	㊾ 63+27－28=	(74) 63－(32－10)=	(99) 99－(45+31)=
㉕ 64+10－12=	㊿ 36+15－8=	(75) 90－(37+38)=	(100) 76－(38+11)=

思维拓展

围绕桌子一圈放了一些苹果和梨，已知每 2 个苹果之间放有 2 个梨，一共有 5 个苹果，梨有多少个？

家园互动

点评：对______题　错______题　用时：__________

100以内的加、减混合运算(三)

① 89－(29+38)=
② 47－(36－19)=
③ 95－(33+36)=
④ 68－(30+10)=
⑤ 26－17+19=
⑥ 59+11－49=
⑦ 86－(27+32)=
⑧ 76－(37+13)=
⑨ 33－23+45=
⑩ 60+(46－14)=
⑪ 94－(36+31)=
⑫ 75－(53－12)=
⑬ 36+(24+27)=
⑭ 66－(37+11)=
⑮ 84－(24+34)=
⑯ 48－(30－10)=
⑰ 76－(34+12)=
⑱ 90－(33+34)=
⑲ 34+20－28=
⑳ 56－11+49=
㉑ 78－(63－11)=
㉒ 90－(34+35)=
㉓ 70－(33+34)=
㉔ 76－(35+11)=
㉕ 37+22－28=

㉖ 71－(13+14)=
㉗ 35+24－28=
㉘ 65－(34+10)=
㉙ 25+(13+18)=
㉚ 40－30+50=
㉛ 60－(30+10)=
㉜ 39－20+28=
㉝ 76－(33+11)=
㉞ 20+(10+15)=
㉟ 45－32－11=
㊱ 88－(28+33)=
㊲ 54+11－49=
㊳ 63－(32－10)=
㊴ 90－(37+38)=
㊵ 39－24+28=
㊶ 55－13+48=
㊷ 67－(38+14)=
㊸ 24+(12+17)=
㊹ 39－21+28=
㊺ 67－(39+19)=
㊻ 82－(23+31)=
㊼ 44－(30－13)=
㊽ 57+11－48=
㊾ 83－(24+31)=
㊿ 77－21－24=

(51) 20－11+12=
(52) 80－(20+31)=
(53) 90－(30+31)=
(54) 49－(30－17)=
(55) 68－(36+10)=
(56) 87－(27+38)=
(57) 58－18+49=
(58) 38+25－28=
(59) 96－(37+38)=
(60) 76－(40+11)=
(61) 30+20－40=
(62) 74－(43+14)=
(63) 93－(33－31)=
(64) 23+(13+16)=
(65) 85－(24+31)=
(66) 67－(30+19)=
(67) 58－(11+29)=
(68) 41－38+17=
(69) 52+11－48=
(70) 22+(12+14)=
(71) 31－22+28=
(72) 73－(23+14)=
(73) 99－(45+31)=
(74) 76－(38+11)=
(75) 77－(13+34)=

(76) 61－(32－10)=
(77) 51－11+49=
(78) 43－30+10=
(79) 50－30+60=
(80) 42－(39－13)=
(81) 65－36－12=
(82) 33－(28－20)=
(83) 52+16－46=
(84) 73－(35+34)=
(85) 86－26－36=
(86) 64－(33+10)=
(87) 46－35+12=
(88) 90－(35+36)=
(89) 76－(37+□)=26
(90) 88－(23+□)=20
(91) 20+(46－□)=28
(92) 94－(36+□)=27
(93) 75－(53－□)=34
(94) 36+(24+□)=87
(95) 34+(28－□)=42
(96) 66－(11+□)=6
(97) 78－(63－□)=26
(98) 90－(34+□)=21
(99) 70－(33+□)=3
(100) 76－(35+□)=30

知识课堂

(　　)× 3 ＝ 9　　口诀:三(　　)得九

所以:(3)× 3 ＝ 9

家园互动

点评:对______题　错______题　用时:__________

_____月_____日　星期_____　　　评分：真棒!☺　不错!☺　加油!☺

① 39-20+28=

② 76-(33+11)=

③ 20+(20+15)=

④ 45-32-11=

⑤ 88-(28+33)=

⑥ 54+11-49=

⑦ 63-(32-10)=

⑧ 90-(37+38)=

⑨ 39-24+28=

⑩ 55-13+48=

⑪ 67-(38+14)=

⑫ 24+(12+17)=

⑬ 39-21+28=

⑭ 67-(39+19)=

⑮ 82-(23+31)=

⑯ 44-(30-13)=

⑰ 57+11-48=

⑱ 83-(24+31)=

⑲ 77-21-24=

⑳ 20-11+12=

㉑ 80-(20+31)=

㉒ 90-(30+31)=

㉓ 49-(30-17)=

㉔ 68-(36+10)=

㉕ 87-(17+38)=

㉖ 58-17+50=

㉗ 38+25-18=

㉘ 96-(37+38)=

㉙ 76-(40+11)=

㉚ 30+20-40=

㉛ 74-(43+14)=

㉜ 93-(33-31)=

㉝ 23+(13+16)=

㉞ 85-(24+31)=

㉟ 67-(30+19)=

㊱ 78-(11+49)=

㊲ 41-38+17=

㊳ 52+11-48=

㊴ 22+(12+14)=

㊵ 31-22+28=

㊶ 73-(23+14)=

㊷ 99-(45+31)=

㊸ 76-(38+11)=

㊹ 77-(13+34)=

㊺ 61-(32-10)=

㊻ 51-11+49=

㊼ 43-30+10=

㊽ 50-30+60=

㊾ 42-(39-13)=

㊿ 65-36-12=

51 33-(28-20)=

52 52+16-46=

53 73-(35+34)=

54 86-26-36=

55 64-(33+10)=

56 46-35+12=

57 90-(35+36)=

58 89-(29+38)=

59 47-(36-19)=

60 95-(33+36)=

61 68-(30+10)=

62 26-17+19=

63 59+11-49=

64 86-(27+32)=

65 76-(35+13)=

66 33-23+45=

67 60+(46-14)=

68 94-(36+31)=

69 75-(53-12)=

70 36+(24+27)=

71 66-(37+11)=

72 84-(24+34)=

73 48-(30-10)=

74 76-(34+22)=

75 90-(33+34)=

76 34+20-28=

77 56-11+49=

78 78-(63-11)=

79 90-(34+35)=

80 70-(33+34)=

81 76-(35+11)=

82 37+22-28=

83 71-(23+34)=

84 35+24-28=

85 65-(34+10)=

86 25+(13+18)=

87 41-30+50=

88 60-30+10=

89 78-(63-□)=40

90 76-(34+□)=26

91 58-(33+□)=8

92 76-(35+□)=30

93 84-(37+□)=26

94 63-(23+□)=20

95 60+(46-□)=68

96 64-(34+□)=27

97 75-(53-□)=34

98 36+(24+□)=87

99 34+(28-□)=42

100 66-(11+□)=26

思维拓展

○+○+○=15，

○+△+△=19，

求△ — ○=(　　　　)

家园互动

点评：对_____题　错_____题　用时：_____

① 56 - 11 + 49 =

② 78 - (63 - 11) =

③ 90 - (34 + 35) =

④ 70 - (33 + 34) =

⑤ 76 - (35 + 11) =

⑥ 37 + 22 - 28 =

⑦ 71 - (13 + 14) =

⑧ 35 + 24 - 28 =

⑨ 65 - (34 + 10) =

⑩ 25 + (13 + 18) =

⑪ 40 - 30 + 50 =

⑫ 60 - (30 + 10) =

⑬ 39 - 20 + 28 =

⑭ 76 - (33 + 11) =

⑮ 20 + (10 + 15) =

⑯ 45 - 32 - 11 =

⑰ 88 - (28 + 33) =

⑱ 54 + 11 - 49 =

⑲ 63 - (32 - 10) =

⑳ 90 - (37 + 38) =

㉑ 39 - 24 + 28 =

㉒ 55 - 13 + 48 =

㉓ 67 - (38 + 14) =

㉔ 24 + (12 + 17) =

㉕ 39 - 21 + 28 =

㉖ 67 - (39 + 19) =

㉗ 82 - (23 + 31) =

㉘ 44 - (30 - 13) =

㉙ 57 + 11 - 48 =

㉚ 83 - (24 + 31) =

㉛ 77 - 21 - 24 =

㉜ 89 - (29 + 38) =

㉝ 47 - (36 - 19) =

㉞ 95 - (33 + 36) =

㉟ 68 - (30 + 10) =

㊱ 26 - 17 + 19 =

㊲ 59 + 11 - 49 =

㊳ 86 - (27 + 32) =

㊴ 76 - (37 + 13) =

㊵ 33 - 23 + 45 =

㊶ 60 + (46 - 14) =

㊷ 94 - (36 + 31) =

㊸ 75 - (53 - 12) =

㊹ 36 + (24 + 27) =

㊺ 66 - (37 + 11) =

㊻ 84 - (24 + 34) =

㊼ 48 - (30 - 10) =

㊽ 76 - (34 + 12) =

㊾ 90 - (33 + 34) =

㊿ 34 + 20 - 28 =

51 20 - 11 + 12 =

52 80 - (20 + 31) =

53 90 - (30 + 31) =

54 49 - (30 - 17) =

55 68 - (36 + 10) =

56 87 - (27 + 38) =

57 58 - 18 + 49 =

58 38 + 25 - 28 =

59 96 - (37 + 38) =

60 76 - (40 + 11) =

61 30 + 20 - 40 =

62 74 - (43 + 14) =

63 93 - (33 - 31) =

64 23 + (13 + 16) =

65 85 - (24 + 31) =

66 67 - (30 + 19) =

67 58 - (11 + 29) =

68 41 - 38 + 17 =

69 52 + 11 - 48 =

70 22 + (12 + 14) =

71 31 - 22 + 28 =

72 73 - (23 + 14) =

73 99 - (45 + 31) =

74 76 - (38 + 11) =

75 77 - (13 + 34) =

76 61 - (32 - 10) =

77 51 - 11 + 49 =

78 43 - 30 + 10 =

79 50 - 30 + 60 =

80 42 - (39 - 13) =

81 65 - 36 - 12 =

82 33 - (28 - 20) =

83 52 + 16 - 46 =

84 73 - (35 + 34) =

85 86 - 26 - 36 =

86 64 - (33 + 10) =

87 46 - 35 + 12 =

88 90 - (35 + 36) =

89 76 - (37 + □) = 27

90 78 - (23 + □) = 30

91 10 + (46 - □) = 38

92 94 - (36 + □) = 24

93 84 - (63 - □) = 24

94 36 + (24 + □) = 87

95 34 + (28 - □) = 42

96 66 - (11 + □) = 6

97 58 - (63 - □) = 26

98 90 - (34 + □) = 40

99 70 - (33 + □) = 13

100 86 - (35 + □) = 30

知识课堂

$$3 \times 4 + 4 = 16$$

12

在一道算式里,有乘法和加法时,要先算乘法。

家园互动

点评:对_____题　错_____题　用时:_____

第 74 天
计时测评

______月______日 星期_____ 评分: 真棒! 不错! 加油!

① 67－(39+19)=
② 82－(23+31)=
③ 44－(30－13)=
④ 57+11－48=
⑤ 83－(24+31)=
⑥ 77－21－24=
⑦ 20－11+12=
⑧ 80－(20+31)=
⑨ 90－(30+31)=
⑩ 49－(30－17)=
⑪ 68－(36+10)=
⑫ 87－(17+38)=
⑬ 58－17+50=
⑭ 38+25－18=
⑮ 96－(37+38)=
⑯ 76－(40+11)=
⑰ 30+20－40=
⑱ 74－(43+14)=
⑲ 93－(33－31)=
⑳ 23+(13+16)=
㉑ 85－(24+31)=
㉒ 67－(30+19)=
㉓ 78－(11+49)=
㉔ 41－38+17=
㉕ 52+11－48=

㉖ 22+(12+14)=
㉗ 31－22+28=
㉘ 73－(23+14)=
㉙ 99－(45+31)=
㉚ 76－(38+11)=
㉛ 77－(13+34)=
㉜ 61－(32－10)=
㉝ 51－11+49=
㉞ 43－30+10=
㉟ 50－30+60=
㊱ 42－(39－13)=
㊲ 65－36－12=
㊳ 39－20+28=
㊴ 76－(33+11)=
㊵ 20+(20+15)=
㊶ 45－32－11=
㊷ 88－(28+33)=
㊸ 54+11－49=
㊹ 63－(32－10)=
㊺ 90－(37+38)=
㊻ 39－24+28=
㊼ 55－13+48=
㊽ 67－(38+14)=
㊾ 24+(12+17)=
㊿ 39－21+28=

(51) 94－(36+31)=
(52) 75－(53－12)=
(53) 36+(24+27)=
(54) 66－(37+11)=
(55) 84－(24+34)=
(56) 48－(30－10)=
(57) 76－(34+22)=
(58) 90－(33+34)=
(59) 34+20－28=
(60) 56－11+49=
(61) 78－(63－11)=
(62) 90－(34+35)=
(63) 70－(33+34)=
(64) 76－(35+11)=
(65) 37+22－28=
(66) 71－(23+34)=
(67) 35+24－28=
(68) 65－(34+10)=
(69) 25+(13+18)=
(70) 41－30+50=
(71) 60－30+10=
(72) 33－(28－20)=
(73) 52+16－46=
(74) 73－(35+34)=
(75) 86－26－36=

(76) 64－(33+10)=
(77) 46－35+12=
(78) 90－(35+36)=
(79) 89－(29+38)=
(80) 47－(36－19)=
(81) 95－(33+36)=
(82) 68－(30+10)=
(83) 26－17+19=
(84) 59+11－49=
(85) 86－(27+32)=
(86) 76－(35+13)=
(87) 33－23+45=
(88) 60+(46－14)=
(89) 78－(63－□)=40
(90) 76－(34+□)=26
(91) 58－(33+□)=8
(92) 75－(53－□)=34
(93) 36+(24+□)=87
(94) 34+(28－□)=42
(95) 66－(11+□)=26
(96) 76－(35+□)=30
(97) 84－(37+□)=26
(98) 63－(23+□)=20
(99) 60+(46－□)=68
(100) 64－(34+□)=27

思维拓展

有一些笔平均分给 6 个同学，刚好分完，最少有多少支笔？

家园互动

点评：对______题 错______题 用时：__________

100 以内的加、减混合运算(五)

① 56－11+49=
② 78－(63－11)=
③ 90－(34+35)=
④ 70－(33+34)=
⑤ 76－(35+11)=
⑥ 37+22－28=
⑦ 71－(13+14)=
⑧ 35+24－28=
⑨ 65－(34+10)=
⑩ 25+(13+18)=
⑪ 40－30+50=
⑫ 60－(30+10)=
⑬ 39－20+28=
⑭ 76－(33+11)=
⑮ 20+(10+15)=
⑯ 45－32－11=
⑰ 88－(28+33)=
⑱ 54+11－49=
⑲ 63－(32－10)=
⑳ 90－(37+38)=
㉑ 39－24+28=
㉒ 55－13+48=
㉓ 67－(38+14)=
㉔ 24+(12+17)=
㉕ 39－21+28=
㉖ 67－(39+19)=
㉗ 82－(23+31)=
㉘ 44－(30－13)=
㉙ 57+11－48=
㉚ 83－(24+31)=
㉛ 77－21－24=
㉜ 89－(29+38)=
㉝ 47－(36－19)=
㉞ 95－(33+36)=
㉟ 68－(30+10)=
㊱ 26－17+19=
㊲ 59+11－49=
㊳ 86－(27+32)=
㊴ 76－(37+13)=
㊵ 33－23+45=
㊶ 60+(46－14)=
㊷ 94－(36+31)=
㊸ 75－(53－12)=
㊹ 36+(24+27)=
㊺ 66－(37+11)=
㊻ 84－(24+34)=
㊼ 48－(30－10)=
㊽ 76－(34+12)=
㊾ 90－(33+34)=
㊿ 34+20－28=
(51) 20－11+12=
(52) 80－(20+31)=
(53) 90－(30+31)=
(54) 49－(30－17)=
(55) 68－(36+10)=
(56) 87－(27+38)=
(57) 58－18+49=
(58) 38+25－28=
(59) 96－(37+38)=
(60) 76－(40+11)=
(61) 30+20－40=
(62) 74－(43+14)=
(63) 93－(33－31)=
(64) 23+(13+16)=
(65) 85－(24+31)=
(66) 67－(30+19)=
(67) 58－(11+29)=
(68) 41－38+17=
(69) 52+11－48=
(70) 22+(12+14)=
(71) 31－22+28=
(72) 73－(23+14)=
(73) 99－(45+31)=
(74) 76－(38+11)=
(75) 77－(13+34)=
(76) 61－(32－10)=
(77) 51－11+49=
(78) 43－30+10=
(79) 50－30+60=
(80) 42－(39－13)=
(81) 65－36－12=
(82) 33－(28－20)=
(83) 52+16－46=
(84) 73－(35+34)=
(85) 86－26－36=
(86) 64－(33+10)=
(87) 46－35+12=
(88) 90－(35+36)=
(89) 84－(53－□)=44
(90) 36+(24+□)=87
(91) 34+(28－□)=42
(92) 66－(11+□)=16
(93) 76－(37+□)=17
(94) 78－(23+□)=30
(95) 10+(46－□)=38
(96) 94－(36+□)=24
(97) 58－(63－□)=28
(98) 95－(34+□)=45
(99) 73－(43+□)=13
(100) 76－(35+□)=30

知识课堂

4 × 4 － 4 ＝ 12

16

在一道算式里，有乘法和加法时，要先算乘法。

注意：算式的特点4个4减去1个4，即3个4。

家园互动

点评：对______题　错______题　用时：__________

第 76 天
计时测评

______月______日 星期_____ 评分：真棒！不错！加油！

① 30+20－40=
② 74－(43+14)=
③ 93－(33－31)=
④ 23+(13+16)=
⑤ 85－(24+31)=
⑥ 67－(30+19)=
⑦ 78－(11+49)=
⑧ 41－38+17=
⑨ 52+11－48=
⑩ 22+(12+14)=
⑪ 31－22+28=
⑫ 73－(23+14)=
⑬ 99－(45+31)=
⑭ 76－(38+11)=
⑮ 77－(13+34)=
⑯ 61－(32－10)=
⑰ 51－11+49=
⑱ 43－30+10=
⑲ 50－30+60=
⑳ 42－(39－13)=
㉑ 65－36－12=
㉒ 39－20+28=
㉓ 76－(33+11)=
㉔ 20+(20+15)=
㉕ 45－32－11=
㉖ 88－(28+33)=
㉗ 54+11－49=
㉘ 63－(32－10)=
㉙ 90－(37+38)=
㉚ 39－24+28=
㉛ 55－13+48=
㉜ 67－(38+14)=
㉝ 24+(12+17)=
㉞ 39－21+28=
㉟ 67－(39+19)=
㊱ 82－(23+31)=
㊲ 44－(30－13)=
㊳ 57+11－48=
㊴ 83－(24+31)=
㊵ 77－21－24=
㊶ 20－11+12=
㊷ 80－(20+31)=
㊸ 90－(30+31)=
㊹ 49－(30－17)=
㊺ 68－(36+10)=
㊻ 87－(17+38)=
㊼ 58－17+50=
㊽ 38+25－18=
㊾ 96－(37+38)=
㊿ 76－(40+11)=
(51) 71－(23+34)=
(52) 35+24－28=
(53) 65－(34+10)=
(54) 25+(13+18)=
(55) 41－30+50=
(56) 60－30+10=
(57) 33－(28－20)=
(58) 47－(36－19)=
(59) 95－(33+36)=
(60) 68－(30+10)=
(61) 26－17+19=
(62) 59+11－49=
(63) 86－(27+32)=
(64) 76－(35+13)=
(65) 33－23+45=
(66) 60+(46－14)=
(67) 94－(36+31)=
(68) 75－(53－12)=
(69) 36+(24+27)=
(70) 66－(37+11)=
(71) 84－(24+34)=
(72) 48－(30－10)=
(73) 76－(34+22)=
(74) 90－(33+34)=
(75) 34+20－28=
(76) 56－11+49=
(77) 78－(63－11)=
(78) 90－(34+35)=
(79) 70－(33+34)=
(80) 76－(35+11)=
(81) 37+22－28=
(82) 52+16－46=
(83) 73－(35+34)=
(84) 86－26－36=
(85) 64－(33+10)=
(86) 46－35+12=
(87) 90－(35+36)=
(88) 89－(29+38)=
(89) 76－(35+□)=30
(90) 84－(37+□)=26
(91) 63－(23+□)=20
(92) 60+(46－□)=68
(93) 64－(34+□)=27
(94) 78－(63－□)=40
(95) 76－(34+□)=26
(96) 58－(33+□)=8
(97) 75－(53－□)=34
(98) 36+(24+□)=87
(99) 34+(28－□)=42
(100) 66－(11+□)=26

思维拓展

63 减去 7，减(　　　)次结果是 0。

家园互动

点评：对______题 错______题 用时：________

① 一一得(　　)
② 一二得(　　)
③ 一三得(　　)
④ 一四得(　　)
⑤ 一五得(　　)
⑥ 一六得(　　)
⑦ 二二得(　　)
⑧ 二三得(　　)
⑨ 二四得(　　)
⑩ 二五　(　　)
⑪ 二六　(　　)
⑫ 三三得(　　)
⑬ 三四　(　　)
⑭ 三五　(　　)
⑮ 三六　(　　)
⑯ 四四　(　　)
⑰ 四五　(　　)
⑱ 四六　(　　)
⑲ 五五　(　　)
⑳ 五六　(　　)
㉑ 六六　(　　)
㉒ $1\times1=$
㉓ $1\times2=$
㉔ $1\times3=$
㉕ $1\times4=$

㉖ $1\times5=$
㉗ $1\times6=$
㉘ $2\times2=$
㉙ $2\times3=$
㉚ $2\times4=$
㉛ $2\times5=$
㉜ $2\times6=$
㉝ $3\times3=$
㉞ $3\times4=$
㉟ $3\times5=$
㊱ $3\times6=$
㊲ $4\times4=$
㊳ $4\times5=$
㊴ $4\times6=$
㊵ $5\times5=$
㊶ $5\times6=$
㊷ $6\times6=$
㊸ $1\times2+5=$
㊹ $2\times3+7=$
㊺ $1\times6+12=$
㊻ $3\times5+11=$
㊼ $2\times2+20=$
㊽ $1\times3+13=$
㊾ $2\times5+22=$
㊿ $2\times4+20=$

51 $3\times3+23=$
52 $3\times6+30=$
53 $2\times4+15=$
54 $6\times6-25=$
55 $4\times4-10=$
56 $1\times6+9=$
57 $4\times4+40=$
58 $3\times6-2=$
59 $3\times5+15=$
60 $4\times6+24=$
61 $3\times5-15=$
62 $1\times2+12=$
63 $2\times2+8=$
64 $3\times3-9=$
65 $1\times6+10=$
66 $4\times4-15=$
67 $3\times6+18=$
68 $3\times4-12=$
69 $6\times6-30=$
70 $2\times4+24=$
71 $1\times3+9=$
72 $2\times3+16=$
73 $4\times6+1=$
74 $3\times5+26=$
75 $2\times5+10=$

76 $3\times3+19=$
77 $4\times5-18=$
78 $4\times4+28=$
79 $5\times5-15=$
80 $3\times5+25=$
81 $4\times5+20=$
82 $5\times6+30=$
83 $2\times6-12=$
84 $3\times4+16=$
85 $3\times6+18=$
86 $4\times4-15=$
87 $3\times3-8=$
88 $6\times6-35=$
89 十八=(　　)个三
90 　　=(　　)个二
91 　　=(　　)个九
92 十六=(　　)个二
93 　　=(　　)个八
94 　　=(　　)个十六
95 二十四=(　)个三
96 　　=(　　)个八
97 　　=(　　)个四
98 十二=(　　)个六
99 　　=(　　)个二
100 　　=(　　)个三

┌─ 知识课堂 ─┐　　　┌─ 家园互动 ─┐

(　　)× 6 ＝ 24　　　口诀:(　　)六二十四

所以:(　4　)× 6 ＝ 24

点评:对_____题　错_____题　用时:_____

______月______日　星期_____　　评分：真棒！☺　不错！☺　加油！☹

① 4×5－12=
② 1×6+20=
③ 2×4+32=
④ 5×6－15=
⑤ 5×6+30=
⑥ 3×6－11=
⑦ 1×6+16=
⑧ 5×6－28=
⑨ 5×5+25=
⑩ 5×6－16=
⑪ 5×5－24=
⑫ 4×6+6=
⑬ 4×4+15=
⑭ 1×6+24=
⑮ 2×3+24=
⑯ 6×6－25=
⑰ 4×5+20=
⑱ 6×6－20=
⑲ 2×4+22=
⑳ 4×6－20=
㉑ 3×6+19=
㉒ 3×5－13=
㉓ 5×5－17=
㉔ 6×6+16=
㉕ 3×4+42=
㉖ 3×3+43=
㉗ 5×5－23=
㉘ 3×4+48=
㉙ 3×3+40=
㉚ 3×4+46=
㉛ 5×5－21=
㉜ 3×4－11=
㉝ 4×6－22=
㉞ 4×4－10=
㉟ 6×6－27=
㊱ 2×4+36=
㊲ 4×6－18=
㊳ 3×5－14=
㊴ 5×5－10=
㊵ 3×6－15=
㊶ 2×3+26=
㊷ 5×5－15=
㊸ 3×4+40=
㊹ 3×5+15=
㊺ 5×5+25=
㊻ 5×6－19=
㊼ 6×6－14=
㊽ 3×3+41=
㊾ 3×4+44=
㊿ 5×5－13=
(51) 4×6+24=
(52) 4×5－10=
(53) 2×4+30=
(54) 5×6－13=
(55) 3×6+13=
(56) 4×5+18=
(57) 4×6－16=
(58) 4×4+16=
(59) 3×5+6=
(60) 6×6－18=
(61) 1×6+28=
(62) 3×5+7=
(63) 3×5－9=
(64) 4×6－14=
(65) 3×6+17=
(66) 1×6+22=
(67) 2×4+34=
(68) 5×6－17=
(69) 6×6－12=
(70) 4×4+13=
(71) 4×6－10=
(72) 2×3+20=
(73) 6×6－25=
(74) 6×6+21=
(75) 2×3+22=
(76) 1×6+26=
(77) 5×6－11=
(78) 2×4+40=
(79) 1×6+30=
(80) 4×5－16=
(81) 2×3+30=
(82) 5×5－19=
(83) 3×5+10=
(84) 4×6－12=
(85) 4×5+14=
(86) 6×6－23=
(87) 4×4+11=
(88) 6×6－29=
(89) 4×5+52=
(90) 5×6+49=
(91) 2×6+32=
(92) 3×5+75=
(93) 82－3×6=
(94) 24+4×5=
(95) 4×6+63=
(96) 3×5+45=
(97) 6×2+78=
(98) 2×2+84=
(99) 3×3+69=
(100) 3×6+63=

思维拓展

从 1 楼走到 3 楼，用了 24 秒；那么从 1 楼走到 6 楼，需要多少秒？

家园互动

点评：对______题　错______题　用时：__________

表内乘法(二)

① $4\times4-15=$
② $1\times6+30=$
③ $4\times6-22=$
④ $4\times4-10=$
⑤ $6\times6-27=$
⑥ $2\times4+36=$
⑦ $4\times6-18=$
⑧ $3\times5-14=$
⑨ $5\times5-10=$
⑩ $3\times6-15=$
⑪ $2\times3+26=$
⑫ $5\times5-15=$
⑬ $3\times4+40=$
⑭ $3\times5+15=$
⑮ $5\times5+25=$
⑯ $5\times6-19=$
⑰ $6\times6-14=$
⑱ $3\times3+41=$
⑲ $3\times4+44=$
⑳ $5\times5-13=$
㉑ $4\times6+24=$
㉒ $4\times5-10=$
㉓ $2\times4+30=$
㉔ $5\times6-13=$
㉕ $3\times6+13=$

㉖ $4\times5+18=$
㉗ $4\times6-16=$
㉘ $4\times4+16=$
㉙ $3\times5+6=$
㉚ $6\times6-18=$
㉛ $1\times6+28=$
㉜ $3\times5+7=$
㉝ $3\times5-9=$
㉞ $4\times6-14=$
㉟ $1\times6+20=$
㊱ $2\times4+32=$
㊲ $5\times6-15=$
㊳ $5\times6+30=$
㊴ $3\times6-11=$
㊵ $1\times6+16=$
㊶ $5\times6-28=$
㊷ $5\times5+25=$
㊸ $5\times6-16=$
㊹ $5\times5-24=$
㊺ $4\times6+6=$
㊻ $3\times6+17=$
㊼ $1\times6+22=$
㊽ $2\times4+34=$
㊾ $5\times6-17=$
㊿ $6\times6-12=$

(51) $4\times4+13=$
(52) $4\times6-10=$
(53) $2\times3+20=$
(54) $6\times6-25=$
(55) $6\times6+21=$
(56) $2\times3+22=$
(57) $1\times6+26=$
(58) $5\times6-11=$
(59) $2\times4+40=$
(60) $1\times6+30=$
(61) $4\times5-16=$
(62) $2\times3+30=$
(63) $5\times5-19=$
(64) $3\times5+10=$
(65) $4\times6-12=$
(66) $4\times5+14=$
(67) $6\times6-23=$
(68) $4\times4+11=$
(69) $6\times6-29=$
(70) $4\times5-12=$
(71) $2\times3+14=$
(72) $6\times6-25=$
(73) $4\times5+20=$
(74) $6\times6-20=$
(75) $2\times4+22=$

(76) $4\times6-20=$
(77) $3\times6+19=$
(78) $3\times5-13=$
(79) $5\times5-17=$
(80) $6\times6+16=$
(81) $3\times4+42=$
(82) $3\times3+43=$
(83) $5\times5-23=$
(84) $3\times4+48=$
(85) $3\times3+40=$
(86) $3\times4+46=$
(87) $5\times5-21=$
(88) $3\times4-11=$
(89) $1\times2+2\times3=$
(90) $2\times3+3\times4=$
(91) $3\times4+4\times5=$
(92) $4\times5+5\times6=$
(93) $5\times6+6\times6=$
(94) $2\times3+5\times5=$
(95) $5\times5+6\times5=$
(96) $4\times5+2\times6=$
(97) $2\times6+6\times6=$
(98) $1\times4+4\times5=$
(99) $4\times4+5\times5=$
(100) $2\times3+4\times5=$

知识课堂

6 的乘法口诀有 6 句，每相邻两句口诀的积相差 6，遇到哪个口诀想不起来，就把前一句口诀的积加 6，或者把后一句口诀的积减 6。

家园互动

点评：对______题　错______题　用时：__________

______月______日 星期_____ 评分：真棒！☺ 不错！☺ 加油！☹

① 2×3+24=
② 6×6－25=
③ 4×5+20=
④ 6×6－20=
⑤ 2×4+22=
⑥ 4×6－20=
⑦ 3×6+19=
⑧ 3×5－13=
⑨ 5×5－17=
⑩ 6×6+16=
⑪ 3×4+42=
⑫ 3×3+43=
⑬ 5×5－23=
⑭ 3×4+48=
⑮ 3×3+40=
⑯ 3×4+46=
⑰ 5×5－21=
⑱ 3×4－11=
⑲ 4×6－22=
⑳ 4×4－10=
㉑ 6×6－27=
㉒ 2×4+36=
㉓ 4×6－18=
㉔ 3×5－14=
㉕ 5×5－10=
㉖ 3×6－15=
㉗ 2×3+26=
㉘ 5×5－15=
㉙ 3×4+40=
㉚ 3×5+15=
㉛ 5×5+25=
㉜ 5×6－19=
㉝ 6×6－14=
㉞ 3×3+41=
㉟ 3×4+44=
㊱ 5×5－13=
㊲ 4×5－12=
㊳ 1×6+20=
㊴ 2×4+32=
㊵ 5×6－15=
㊶ 5×6+30=
㊷ 3×6－11=
㊸ 1×6+16=
㊹ 5×6－28=
㊺ 5×5+25=
㊻ 5×6－16=
㊼ 5×5－24=
㊽ 4×6+6=
㊾ 4×4+15=
㊿ 1×6+24=
(51) 6×6－29=
(52) 4×5+52=
(53) 5×6+49=
(54) 2×6+32=
(55) 3×5+75=
(56) 82－3×6=
(57) 24+4×5=
(58) 4×6+63=
(59) 3×5+45=
(60) 6×2+78=
(61) 2×2+81=
(62) 3×3+51=
(63) 3×6+62=
(64) 4×6+24=
(65) 4×5－10=
(66) 2×4+30=
(67) 5×6－13=
(68) 3×6+13=
(69) 4×5+18=
(70) 4×6－16=
(71) 4×4+16=
(72) 3×5+6=
(73) 6×6－18=
(74) 1×6+28=
(75) 3×5+7=
(76) 3×5－9=
(77) 4×6－14=
(78) 3×6+17=
(79) 1×6+22=
(80) 2×4+34=
(81) 5×6－17=
(82) 6×6－12=
(83) 4×4+13=
(84) 4×6－10=
(85) 2×3+20=
(86) 6×6－25=
(87) 6×6+21=
(88) 2×3+22=
(89) 1×6+26=
(90) 5×6－11=
(91) 2×4+40=
(92) 1×6+30=
(93) 4×5－16=
(94) 2×3+30=
(95) 5×5－19=
(96) 3×5+10=
(97) 4×6－12=
(98) 4×5+14=
(99) 6×6－23=
(100) 4×4+11=

思维拓展

冬冬今年 10 岁，爸爸今年 40 岁，冬冬多少岁时，爸爸的年龄正好是冬冬的 2 倍？

家园互动

点评：对______题 错______题 用时：__________

① $6 \times 6 - 14 =$

② $3 \times 3 + 41 =$

③ $3 \times 4 + 44 =$

④ $5 \times 5 - 13 =$

⑤ $4 \times 6 + 24 =$

⑥ $4 \times 5 - 10 =$

⑦ $2 \times 4 + 30 =$

⑧ $5 \times 6 - 13 =$

⑨ $3 \times 6 + 13 =$

⑩ $4 \times 5 + 18 =$

⑪ $4 \times 6 - 16 =$

⑫ $4 \times 4 + 16 =$

⑬ $3 \times 5 + 6 =$

⑭ $6 \times 6 - 18 =$

⑮ $1 \times 6 + 28 =$

⑯ $3 \times 5 + 7 =$

⑰ $3 \times 5 - 9 =$

⑱ $4 \times 6 - 14 =$

⑲ $1 \times 6 + 20 =$

⑳ $2 \times 4 + 32 =$

㉑ $5 \times 6 - 15 =$

㉒ $5 \times 6 + 30 =$

㉓ $3 \times 6 - 11 =$

㉔ $1 \times 6 + 16 =$

㉕ $5 \times 6 - 28 =$

㉖ $5 \times 5 + 25 =$

㉗ $5 \times 6 - 16 =$

㉘ $5 \times 5 - 24 =$

㉙ $4 \times 6 + 6 =$

㉚ $3 \times 6 + 17 =$

㉛ $1 \times 6 + 22 =$

㉜ $2 \times 4 + 34 =$

㉝ $5 \times 6 - 17 =$

㉞ $6 \times 6 - 12 =$

㉟ $4 \times 4 - 15 =$

㊱ $1 \times 6 + 30 =$

㊲ $4 \times 6 - 22 =$

㊳ $4 \times 4 - 10 =$

㊴ $6 \times 6 - 27 =$

㊵ $2 \times 4 + 36 =$

㊶ $4 \times 6 - 18 =$

㊷ $3 \times 5 - 14 =$

㊸ $5 \times 5 - 10 =$

㊹ $3 \times 6 - 15 =$

㊺ $2 \times 3 + 26 =$

㊻ $5 \times 5 - 15 =$

㊼ $3 \times 4 + 40 =$

㊽ $3 \times 5 + 15 =$

㊾ $5 \times 5 + 25 =$

㊿ $5 \times 6 - 19 =$

51 $3 \times 3 + 40 =$

52 $3 \times 4 + 46 =$

53 $5 \times 5 - 21 =$

54 $3 \times 4 - 11 =$

55 $1 \times 2 + 2 \times 3 =$

56 $2 \times 3 + 3 \times 4 =$

57 $3 \times 4 + 4 \times 5 =$

58 $4 \times 5 + 5 \times 6 =$

59 $5 \times 6 + 6 \times 6 =$

60 $2 \times 3 + 5 \times 5 =$

61 $4 \times 4 + 13 =$

62 $4 \times 6 - 10 =$

63 $2 \times 3 + 20 =$

64 $6 \times 6 - 25 =$

65 $6 \times 6 + 21 =$

66 $2 \times 3 + 22 =$

67 $1 \times 6 + 26 =$

68 $5 \times 6 - 11 =$

69 $2 \times 4 + 40 =$

70 $1 \times 6 + 30 =$

71 $4 \times 5 - 16 =$

72 $2 \times 3 + 30 =$

73 $5 \times 5 - 19 =$

74 $3 \times 5 + 10 =$

75 $4 \times 6 - 12 =$

76 $4 \times 5 + 14 =$

77 $6 \times 6 - 23 =$

78 $4 \times 4 + 11 =$

79 $6 \times 6 - 29 =$

80 $4 \times 5 - 12 =$

81 $2 \times 3 + 14 =$

82 $6 \times 6 - 25 =$

83 $4 \times 5 + 20 =$

84 $5 \times 5 + 6 \times 5 =$

85 $4 \times 5 + 2 \times 6 =$

86 $2 \times 6 + 6 \times 6 =$

87 $2 \times 3 + 4 \times 5 =$

88 $6 \times 6 - 20 =$

89 $2 \times 4 + 22 =$

90 $4 \times 6 - 20 =$

91 $3 \times 6 + 19 =$

92 $3 \times 5 - 13 =$

93 $5 \times 5 - 17 =$

94 $6 \times 6 + 16 =$

95 $3 \times 4 + 42 =$

96 $3 \times 3 + 43 =$

97 $5 \times 5 - 23 =$

98 $3 \times 4 + 48 =$

99 $1 \times 4 + 4 \times 5 =$

100 $4 \times 4 + 5 \times 5 =$

知识课堂

　　6的乘法口诀是根据六个几相加得来的。如：6个2相加可以用乘法算式 $6 \times 2 = 12$ 或 $2 \times 6 = 12$ 表示。

家园互动

点评：对_____题　错_____题　用时：_____

_____月_____日 星期_____ 评分：真棒!☺ 不错!☺ 加油!☺

① $3 \times 6 - 15 =$
② $2 \times 3 + 26 =$
③ $5 \times 5 - 15 =$
④ $3 \times 4 + 40 =$
⑤ $3 \times 5 + 15 =$
⑥ $5 \times 5 + 25 =$
⑦ $5 \times 6 - 19 =$
⑧ $6 \times 6 - 14 =$
⑨ $3 \times 3 + 41 =$
⑩ $3 \times 4 + 44 =$
⑪ $5 \times 5 - 13 =$
⑫ $4 \times 6 + 24 =$
⑬ $4 \times 5 - 10 =$
⑭ $2 \times 4 + 30 =$
⑮ $5 \times 6 - 13 =$
⑯ $3 \times 6 + 13 =$
⑰ $4 \times 5 + 18 =$
⑱ $4 \times 6 - 16 =$
⑲ $4 \times 4 + 16 =$
⑳ $3 \times 5 + 6 =$
㉑ $6 \times 6 - 18 =$
㉒ $1 \times 6 + 28 =$
㉓ $3 \times 5 + 7 =$
㉔ $3 \times 5 - 9 =$
㉕ $4 \times 6 - 14 =$

㉖ $3 \times 6 + 17 =$
㉗ $1 \times 6 + 22 =$
㉘ $2 \times 4 + 34 =$
㉙ $5 \times 6 - 17 =$
㉚ $6 \times 6 - 12 =$
㉛ $4 \times 4 + 13 =$
㉜ $4 \times 6 - 10 =$
㉝ $2 \times 3 + 20 =$
㉞ $6 \times 6 - 25 =$
㉟ $6 \times 6 + 21 =$
㊱ $2 \times 3 + 22 =$
㊲ $1 \times 6 + 26 =$
㊳ $5 \times 6 - 11 =$
㊴ $2 \times 4 + 40 =$
㊵ $1 \times 6 + 30 =$
㊶ $4 \times 5 - 16 =$
㊷ $2 \times 3 + 30 =$
㊸ $5 \times 5 - 19 =$
㊹ $3 \times 5 + 10 =$
㊺ $4 \times 6 - 12 =$
㊻ $4 \times 5 + 14 =$
㊼ $6 \times 6 - 23 =$
㊽ $4 \times 4 + 11 =$
㊾ $6 \times 6 - 29 =$
㊿ $4 \times 5 - 12 =$

(51) $1 \times 6 + 20 =$
(52) $2 \times 4 + 32 =$
(53) $5 \times 6 - 15 =$
(54) $5 \times 6 + 30 =$
(55) $3 \times 6 - 11 =$
(56) $1 \times 6 + 16 =$
(57) $5 \times 6 - 28 =$
(58) $5 \times 5 + 25 =$
(59) $5 \times 6 - 16 =$
(60) $5 \times 5 - 24 =$
(61) $4 \times 6 + 6 =$
(62) $4 \times 4 + 15 =$
(63) $1 \times 6 + 24 =$
(64) $2 \times 3 + 24 =$
(65) $6 \times 6 - 25 =$
(66) $4 \times 5 + 20 =$
(67) $6 \times 6 - 20 =$
(68) $2 \times 4 + 22 =$
(69) $4 \times 6 - 20 =$
(70) $3 \times 6 + 19 =$
(71) $3 \times 5 - 13 =$
(72) $5 \times 5 - 17 =$
(73) $6 \times 6 + 16 =$
(74) $3 \times 4 + 42 =$
(75) $3 \times 3 + 43 =$

(76) $5 \times 5 - 23 =$
(77) $3 \times 4 + 48 =$
(78) $3 \times 3 + 40 =$
(79) $3 \times 4 + 46 =$
(80) $5 \times 5 - 21 =$
(81) $3 \times 4 - 11 =$
(82) $4 \times 6 - 22 =$
(83) $4 \times 4 - 10 =$
(84) $6 \times 6 - 27 =$
(85) $2 \times 4 + 36 =$
(86) $4 \times 6 - 18 =$
(87) $3 \times 5 - 14 =$
(88) $5 \times 5 - 10 =$
(89) $5 \times 6 + 6 \times 6 =$
(90) $2 \times 3 + 5 \times 5 =$
(91) $2 \times 3 + 4 \times 5 =$
(92) $1 \times 2 + 2 \times 3 =$
(93) $5 \times 5 + 6 \times 5 =$
(94) $4 \times 5 + 2 \times 6 =$
(95) $2 \times 6 + 6 \times 6 =$
(96) $1 \times 4 + 4 \times 5 =$
(97) $4 \times 4 + 5 \times 5 =$
(98) $2 \times 3 + 3 \times 4 =$
(99) $3 \times 4 + 4 \times 5 =$
ㄏ00 $4 \times 5 + 5 \times 6 =$

思维拓展

5 个小朋友吃 5 个苹果需要 5 分钟,照这样, 100 个小朋友吃 100 个苹果需要几分钟?

家园互动

点评：对_____题 错_____题 用时：_____

表内乘法(四)

① 3×6−15=
② 2×3+26=
③ 5×5−15=
④ 3×4+40=
⑤ 3×5+15=
⑥ 5×5+25=
⑦ 5×6−19=
⑧ 6×6−14=
⑨ 3×3+41=
⑩ 3×4+44=
⑪ 5×5−13=
⑫ 4×6+24=
⑬ 4×5−10=
⑭ 2×4+30=
⑮ 5×6−13=
⑯ 3×6+13=
⑰ 4×5+18=
⑱ 4×6−16=
⑲ 4×4+16=
⑳ 3×5+6=
㉑ 6×6−18=
㉒ 1×6+28=
㉓ 3×5+7=
㉔ 3×5−9=
㉕ 4×6−14=
㉖ 3×6+17=
㉗ 1×6+22=
㉘ 2×4+34=
㉙ 5×6−17=
㉚ 6×6−12=
㉛ 4×4+13=
㉜ 4×6−10=
㉝ 2×3+20=
㉞ 6×6−25=
㉟ 6×6+21=
㊱ 2×3+22=
㊲ 1×6+26=
㊳ 5×6−11=
㊴ 2×4+40=
㊵ 1×6+30=
㊶ 4×5−16=
㊷ 2×3+30=
㊸ 5×5−19=
㊹ 3×5+10=
㊺ 4×6−12=
㊻ 4×5+14=
㊼ 6×6−23=
㊽ 4×4+11=
㊾ 6×6−29=
㊿ 4×5−12=
(51) 2×3+3×4=
(52) 3×4+4×5=
(53) 4×5+5×6=
(54) 1×6+20=
(55) 2×4+32=
(56) 4×5+2×6=
(57) 2×6+6×6=
(58) 5×6−15=
(59) 5×6+30=
(60) 3×6−11=
(61) 1×6+16=
(62) 5×6−28=
(63) 5×5+25=
(64) 5×6−16=
(65) 5×5−24=
(66) 4×6+6=
(67) 4×4+15=
(68) 1×6+24=
(69) 2×3+24=
(70) 6×6−25=
(71) 4×5+20=
(72) 6×6−20=
(73) 2×4+22=
(74) 4×6−20=
(75) 3×6+19=
(76) 3×5−13=
(77) 5×5−17=
(78) 6×6+16=
(79) 3×4+42=
(80) 3×3+43=
(81) 5×5−23=
(82) 3×4+48=
(83) 3×3+40=
(84) 3×4+46=
(85) 5×5−21=
(86) 3×4−11=
(87) 4×6−22=
(88) 4×4−10=
(89) 2×3+5×5=
(90) 2×3+4×5=
(91) 1×2+2×3=
(92) 6×6−27=
(93) 2×4+36=
(94) 4×6−18=
(95) 3×5−14=
(96) 5×5−10=
(97) 5×6+6×6=
(98) 5×5+6×5=
(99) 1×4+4×5=
(100) 4×4+5×5=

知识课堂

从不同的方向观察下面的几何体。

从侧面看　从正面看　从上面看

家园互动

点评：对______题　错______题　用时：__________

______月______日 星期_____ 评分: 真棒! 不错! 加油!

① 一七得(　　)
② 二七　(　　)
③ 三七　(　　)
④ 四七　(　　)
⑤ 五七　(　　)
⑥ 六七　(　　)
⑦ 七七　(　　)
⑧ 一八得(　　)
⑨ 二八　(　　)
⑩ 三八　(　　)
⑪ 四八　(　　)
⑫ 五八　(　　)
⑬ 六八　(　　)
⑭ 七八　(　　)
⑮ 八八　(　　)
⑯ 一九得(　　)
⑰ 二九　(　　)
⑱ 三九　(　　)
⑲ 四九　(　　)
⑳ 五九　(　　)
㉑ 六九　(　　)
㉒ 七九　(　　)
㉓ 八九(　　)
㉔ 九九(　　)
㉕ 1×7=
㉖ 2×7=
㉗ 3×7=
㉘ 4×7=
㉙ 5×7=
㉚ 6×7=
㉛ 7×7=
㉜ 1×8=
㉝ 2×8=
㉞ 3×8=
㉟ 4×8=
㊱ 5×8=
㊲ 6×8=
㊳ 7×8=
㊴ 8×8=
㊵ 1×9=
㊶ 2×9=
㊷ 3×9=
㊸ 4×9=
㊹ 5×9=
㊺ 6×9=
㊻ 7×9=
㊼ 8×9=
㊽ 9×9=
㊾ 6×9－18=
㊿ 3×8+28=
(51) 8×9－32=
(52) 6×7－26=
(53) 2×8+20=
(54) 7×9+24=
(55) 5×8+29=
(56) 4×9+40=
(57) 7×7－27=
(58) 3×7+35=
(59) 2×7+31=
(60) 5×7－33=
(61) 2×8+21=
(62) 7×7－21=
(63) 3×9－25=
(64) 9×9－52=
(65) 7×9+20=
(66) 6×7+30=
(67) 3×8+20=
(68) 4×9－30=
(69) 6×7+24=
(70) 5×8－27=
(71) 9×9－56=
(72) 7×7+23=
(73) 5×7+31=
(74) 3×8+26=
(75) 3×9－27=
(76) 9×9－60=
(77) 7×7－29=
(78) 4×9+38=
(79) 7×7－25=
(80) 3×9－23=
(81) 8×9－36=
(82) 4×9+36=
(83) 2×8－14=
(84) 8×9－34=
(85) 7×7+31=
(86) 2×7+11=
(87) 2×7－13=
(88) 5×8+25=
(89) (　　)×9+31=67
(90) 2×(　　)+33=47
(91) 6×(　　)－34=20
(92) 7×(　　)+24=73
(93) 5×(　　)+15=60
(94) 7×(　　)+20=69
(95) 9×(　　)－40=5
(96) 5×(　　)－16=14
(97) 2×(　　)+39=57
(98) 3×(　　)+26=50
(99) 3×(　　)+25=49
(100) 7×(　　)－28=21

思维拓展

小红做一道减法题，错把减数 5 写成了 8，结果得 47。那么正确的结果应该是多少？

家园互动

点评：对______题　错______题　用时：__________

表内乘法(五)

① 2×8+30=
② 6×9－33=
③ 7×8－28=
④ 9×9－41=
⑤ 6×9－35=
⑥ 3×8－21=
⑦ 7×7－23=
⑧ 7×8+20=
⑨ 3×8－22=
⑩ 5×9+15=
⑪ 7×7+20=
⑫ 9×9－47=
⑬ 5×9－16=
⑭ 2×8+39=
⑮ 3×8+26=
⑯ 6×9+30=
⑰ 7×7－30=
⑱ 9×9－45=
⑲ 2×8+35=
⑳ 7×8－22=
㉑ 6×9－36=
㉒ 7×7+25=
㉓ 3×8+20=
㉔ 5×9－10=
㉕ 2×8+31=
㉖ 9×9－49=
㉗ 7×7+26=
㉘ 9×9－42=
㉙ 5×9+14=
㉚ 3×8+26=
㉛ 6×9+40=
㉜ 9×9－46=
㉝ 3×8+40=
㉞ 2×7+11=
㉟ 5×9+18=
㊱ 7×7－27=
㊲ 2×8+37=
㊳ 9×9－44=
㊴ 9×9+9=
㊵ 2×8+32=
㊶ 6×9－37=
㊷ 7×8+30=
㊸ 5×9+12=
㊹ 9×9－48=
㊺ 5×9+13=
㊻ 7×7－22=
㊼ 7×8+24=
㊽ 2×8+40=
㊾ 9×9－43=
㊿ 6×9－33=
(51) 2×8+38=
(52) 5×9+17=
(53) 2×7+31=
(54) 3×8+25=
(55) 7×7－28=
(56) 6×9+31=
(57) 2×8+33=
(58) 6×9－34=
(59) 7×7+24=
(60) 3×8+30=
(61) 5×9+11=
(62) 6×9－38=
(63) 2×8+34=
(64) 7×8－26=
(65) 9×9－50=
(66) 6×9+39=
(67) 3×8+29=
(68) 3×8－24=
(69) 7×7+21=
(70) 5×9－19=
(71) 2×7+21=
(72) 3×8+27=
(73) 7×7－29=
(74) 6×9+32=
(75) 2×8+26=
(76) 5×9－20=
(77) 6×9－4=
(78) 6×8+12=
(79) 7×7+21=
(80) 3×7+29=
(81) 8×9－32=
(82) 6×7－12=
(83) 2×8－11=
(84) 7×9－51=
(85) 6×9+28=
(86) 2×8－16=
(87) 8×8－44=
(88) 6×9+16=
(89) 5×(　)+15=60
(90) 7×(　)+20=69
(91) 9×(　)－40=41
(92) 5×(　)－16=24
(93) 2×(　)+39=55
(94) 3×(　)+26=50
(95) 3×(　)+25=49
(96) 7×(　)－28=21
(97) (　)×9+31=85
(98) 2×(　)+33=47
(99) 6×(　)－34=20
(100) 7×(　)+24=73

知识课堂

7 的乘法口诀有 7 句，每相邻两句口诀的积相差 7，遇到哪个口诀想不起来，就把前一句口诀的积加 7，或者把后一句口诀的积减 7。

2 × 7 = 14

3 × 7 = 21

家园互动

点评：对______题　错______题　用时：__________

____月____日 星期____ 评分: 真棒! 不错! 加油!

① 3×8+30=

② 5×9+11=

③ 6×9−38=

④ 2×8+34=

⑤ 7×8−26=

⑥ 9×9−50=

⑦ 6×9+39=

⑧ 3×8+21=

⑨ 2×8+24=

⑩ 7×7−21=

⑪ 5×9−20=

⑫ 2×7+14=

⑬ 3×9+27=

⑭ 7×7−19=

⑮ 5×9+15=

⑯ 7×7+20=

⑰ 9×9−47=

⑱ 5×9−16=

⑲ 2×8+39=

⑳ 3×8+26=

㉑ 6×9+30=

㉒ 7×7−30=

㉓ 9×9−45=

㉔ 2×8+35=

㉕ 7×8−22=

㉖ 6×9−36=

㉗ 7×7+25=

㉘ 3×8−20=

㉙ 5×9−10=

㉚ 2×8+31=

㉛ 9×9−49=

㉜ 7×7+26=

㉝ 9×9−42=

㉞ 5×9+14=

㉟ 3×8+26=

㊱ 6×9+40=

㊲ 9×9−46=

㊳ 3×8+40=

㊴ 2×7+11=

㊵ 5×9+18=

㊶ 7×7−27=

㊷ 2×8+37=

㊸ 9×9−44=

㊹ 9×9+9=

㊺ 2×8+32=

㊻ 6×9−37=

㊼ 7×8+30=

㊽ 5×9+12=

㊾ 9×9−48=

㊿ 5×9+13=

(51) 7×7−22=

(52) 7×8+24=

(53) 2×8+40=

(54) 9×9−43=

(55) 6×9−33=

(56) 2×8+38=

(57) 5×9+17=

(58) 2×7+31=

(59) 3×8+25=

(60) 7×7−28=

(61) 6×9+31=

(62) 2×8+33=

(63) 6×9−34=

(64) 7×7+24=

(65) 6×9+30=

(66) 2×8+26=

(67) 5×9−20=

(68) 6×9−4=

(69) 6×8+12=

(70) 7×7+21=

(71) 3×7+29=

(72) 8×9−32=

(73) 6×7−12=

(74) 2×8−11=

(75) 7×9−51=

(76) 6×9+28=

(77) 2×8−16=

(78) 8×8−44=

(79) 6×9+16=

(80) 2×8+40=

(81) 6×9−33=

(82) 7×8−28=

(83) 9×9−41=

(84) 6×9−35=

(85) 3×8−21=

(86) 7×7−23=

(87) 7×8+20=

(88) 3×8−22=

(89) (　)×9+31=67

(90) 2×(　)+33=47

(91) 6×(　)−34=20

(92) 7×(　)+24=73

(93) 5×(　)+15=60

(94) 7×(　)+20=69

(95) 9×(　)−40=5

(96) 5×(　)−16=14

(97) 2×(　)+39=57

(98) 3×(　)+26=50

(99) 3×(　)+25=49

(100) 7×(　)−28=21

思维拓展

小青 7 岁那年，他种了第一棵树，以后每年都比前一年多种 1 棵。现在他已经 15 岁了，这 9 年中他一共种了多少棵树？

家园互动

点评：对______题　错______题　用时：__________

表内乘法(六)

① 6×9+30=	㉖ 6×9－37=	(51) 3×8+30=	(76) 6×9+28=
② 7×7－30=	㉗ 7×8+30=	(52) 5×9+11=	(77) 2×8－16=
③ 9×9－45=	㉘ 5×9+12=	(53) 6×9－38=	(78) 8×8－44=
④ 2×8+35=	㉙ 9×9－48=	(54) 2×8+34=	(79) 6×9+16=
⑤ 7×8－22=	㉚ 5×9+13=	(55) 7×8－26=	(80) 2×8+38=
⑥ 6×9－36=	㉛ 7×7－22=	(56) 9×9－50=	(81) 5×9+17=
⑦ 7×7+25=	㉜ 7×8+24=	(57) 6×9+39=	(82) 2×7+31=
⑧ 3×8+20=	㉝ 2×8+40=	(58) 3×8+29=	(83) 3×8+25=
⑨ 5×9－10=	㉞ 9×9－43=	(59) 3×8－24=	(84) 7×7－28=
⑩ 2×8+31=	㉟ 6×9－33=	(60) 7×7+21=	(85) 6×9+31=
⑪ 9×9－49=	㊱ 2×8+30=	(61) 5×9－19=	(86) 2×8+33=
⑫ 7×7+26=	㊲ 6×9－33=	(62) 2×7+21=	(87) 6×9－34=
⑬ 9×9－42=	㊳ 7×8－28=	(63) 3×8+27=	(88) 7×7+24=
⑭ 5×9+14=	㊴ 9×9－41=	(64) 7×7－29=	(89) 5×(　)+10=35
⑮ 3×8+26=	㊵ 6×9－35=	(65) 6×9+32=	(90) 7×(　)+20=48
⑯ 6×9+40=	㊶ 3×8－21=	(66) 2×8+26=	(91) 9×(　)－40=41
⑰ 9×9－46=	㊷ 7×7－23=	(67) 5×9－20=	(92) 5×(　)－16=24
⑱ 3×8+40=	㊸ 7×8+20=	(68) 6×9－4=	(93) 2×(　)+39=55
⑲ 2×7+11=	㊹ 3×8－22=	(69) 6×8+12=	(94) 3×(　)+26=50
⑳ 5×9+18=	㊺ 5×9+15=	(70) 7×7+21=	(95) 3×(　)+30=48
㉑ 7×7－27=	㊻ 7×7+20=	(71) 3×7+29=	(96) 7×(　)－28=7
㉒ 2×8+37=	㊼ 9×9－47=	(72) 8×9－32=	(97) (　)×9+31=85
㉓ 9×9－44=	㊽ 5×9－16=	(73) 6×7－12=	(98) 7×(　)+33=47
㉔ 9×9+9=	㊾ 2×8+39=	(74) 2×8－11=	(99) 6×(　)－34=20
㉕ 2×8+32=	㊿ 3×8+26=	(75) 7×9－51=	(100) 7×(　)+24=73

知识课堂

8 的乘法口诀有 8 句，每相邻两句口诀的积相差 8，遇到哪个口诀想不起来，就把前一句口诀的积加 8，或者把后一句口诀的积减 8。

$$3 \times 8 = 24$$

$$4 \times 8 = 32$$

家园互动

点评：对______题　错______题　用时：__________

______月______日 星期______ 评分：真棒！☺ 不错！☺ 加油！☺

① 9×9－47=
② 5×9－16=
③ 2×8+39=
④ 3×8+26=
⑤ 6×9+30=
⑥ 7×7－30=
⑦ 9×9－45=
⑧ 2×8+35=
⑨ 7×8－22=
⑩ 6×9－36=
⑪ 7×7+25=
⑫ 3×8－20=
⑬ 5×9－10=
⑭ 2×8+31=
⑮ 9×9－49=
⑯ 7×7+26=
⑰ 9×9－42=
⑱ 5×9+14=
⑲ 3×8+26=
⑳ 6×9+40=
㉑ 9×9－46=
㉒ 3×8+40=
㉓ 2×7+11=
㉔ 5×9+18=
㉕ 7×7－27=
㉖ 2×8+37=
㉗ 9×9－44=
㉘ 9×9+9=
㉙ 2×8+32=
㉚ 6×9－37=
㉛ 7×8+30=
㉜ 5×9+12=
㉝ 9×9－48=
㉞ 5×9+13=
㉟ 3×8+30=
㊱ 5×9+11=
㊲ 6×9－38=
㊳ 2×8+34=
㊴ 7×8－26=
㊵ 9×9－50=
㊶ 6×9+39=
㊷ 3×8+21=
㊸ 2×8+24=
㊹ 7×7－21=
㊺ 5×9－20=
㊻ 2×7+14=
㊼ 3×9+27=
㊽ 7×7－19=
㊾ 5×9+15=
㊿ 7×7+20=
(51) 2×8+26=
(52) 5×9－20=
(53) 6×9－4=
(54) 6×8+12=
(55) 7×7+21=
(56) 3×7+29=
(57) 8×9－32=
(58) 6×7－12=
(59) 2×8－11=
(60) 7×9－51=
(61) 6×9+28=
(62) 2×8+16=
(63) 8×8－44=
(64) 6×9+16=
(65) 2×8+40=
(66) 6×9－33=
(67) 7×8－28=
(68) 9×9－41=
(69) 6×9－35=
(70) 3×8－21=
(71) 7×7－23=
(72) 7×8+20=
(73) 3×8－22=
(74) 7×7－22=
(75) 7×8+24=
(76) 2×8+40=
(77) 9×9－43=
(78) 6×9－33=
(79) 2×8+38=
(80) 5×9+17=
(81) 2×7+31=
(82) 3×8+25=
(83) 7×7－28=
(84) 6×9+31=
(85) 2×8+33=
(86) 6×9－34=
(87) 7×7+24=
(88) 6×9+30=
(89) ( )×9+31=67
(90) 2×( )+33=47
(91) 6×( )－34=20
(92) 7×( )+24=73
(93) 5×( )+15=60
(94) 7×( )+20=69
(95) 9×( )－40=5
(96) 5×( )－16=14
(97) 2×( )+39=57
(98) 3×( )+26=50
(99) 3×( )+25=49
(100) 7×( )－28=21

思维拓展

小言看着小方，而小方正看着小川。小言是长发，小川是短发。那么是否一定有一位长发同学正看着一位短发的同学？

家园互动

点评：对______题 错______题 用时：__________

① 5×9+18=
② 7×7−27=
③ 2×8+37=
④ 9×9−44=
⑤ 9×9+9=
⑥ 2×8+32=
⑦ 2×3+24=
⑧ 6×6−25=
⑨ 4×5+20=
⑩ 6×6−20=
⑪ 2×4+22=
⑫ 4×6−20=
⑬ 3×6+19=
⑭ 3×5−13=
⑮ 5×5−17=
⑯ 6×6+16=
⑰ 3×4+42=
⑱ 6×9−37=
⑲ 7×8+30=
⑳ 5×9+12=
㉑ 9×9−48=
㉒ 5×9+13=
㉓ 7×7−22=
㉔ 3×3+43=
㉕ 5×5−23=
㉖ 3×4+48=
㉗ 3×3+40=
㉘ 3×4+46=
㉙ 5×5−21=
㉚ 3×4−11=
㉛ 4×6−22=
㉜ 4×4−10=
㉝ 6×6−27=
㉞ 2×4+36=
㉟ 4×6−18=
㊱ 3×5−14=
㊲ 9×9−49=
㊳ 7×7+26=
㊴ 9×9−42=
㊵ 5×9+14=
㊶ 3×8+26=
㊷ 6×9+40=
㊸ 9×9−46=
㊹ 3×8+40=
㊺ 2×7+11=
㊻ 7×8+24=
㊼ 2×8+40=
㊽ 9×9−43=
㊾ 6×9−33=
㊿ 7×7+16=
(51) 6×8+12=
(52) 7×7+21=
(53) 3×7+29=
(54) 8×9−32=
(55) 6×7−12=
(56) 2×8−11=
(57) 7×9−51=
(58) 6×9+28=
(59) 2×8−16=
(60) 8×8−44=
(61) 6×9+16=
(62) 2×8+38=
(63) 5×9+17=
(64) 2×7+31=
(65) 3×8+25=
(66) 7×7−28=
(67) 6×9+31=
(68) 2×8+33=
(69) 6×9−34=
(70) 7×7+24=
(71) 3×8−24=
(72) 7×7+21=
(73) 5×9−19=
(74) 2×7+21=
(75) 3×8+27=
(76) 7×7−29=
(77) 6×9+32=
(78) 2×8+26=
(79) 5×9−20=
(80) 3×8+30=
(81) 5×9+11=
(82) 6×9−38=
(83) 2×8+34=
(84) 7×8−26=
(85) 9×9−50=
(86) 6×9+39=
(87) 3×8+29=
(88) 6×9−4=
(89) 5×(　)+15=60
(90) 7×(　)+20=69
(91) 9×(　)−40=41
(92) 5×(　)−16=24
(93) 2×(　)+39=55
(94) 6×(　)−34=20
(95) 7×(　)+24=73
(96) 3×(　)+26=50
(97) 3×(　)+25=49
(98) 7×(　)−28=21
(99) (　)×9+31=85
(100) 2×(　)+33=47

知识课堂

9的乘法口诀有9句，每相邻两句口诀的积相差9，遇到哪个口诀想不起来，就把前一句口诀的积加9，或者把后一句口诀的积减9。

3 × 9 = 27

4 × 9 = 36

家园互动

点评：对______题　错______题　用时：__________

第90天 计时测评　　____月____日　星期____　　评分：真棒！　不错！　加油！

① 4×4－15=
② 1×6+30=
③ 4×6－22=
④ 4×4－10=
⑤ 6×6－27=
⑥ 2×4+36=
⑦ 4×6－18=
⑧ 3×5－14=
⑨ 5×5－10=
⑩ 3×6－15=
⑪ 2×3+26=
⑫ 5×5－15=
⑬ 3×4+40=
⑭ 3×5+15=
⑮ 5×5+25=
⑯ 5×6－19=
⑰ 6×6－14=
⑱ 3×3+41=
⑲ 3×4+44=
⑳ 5×5－13=
㉑ 4×6+24=
㉒ 4×5－10=
㉓ 2×4+30=
㉔ 5×6－13=
㉕ 3×6+13=
㉖ 4×5+18=
㉗ 4×6－16=
㉘ 4×4+16=
㉙ 3×5+6=
㉚ 6×6－18=
㉛ 1×6+28=
㉜ 3×5+7=
㉝ 3×5－9=
㉞ 4×6－14=
㉟ 1×6+20=
㊱ 2×4+32=
㊲ 5×6－15=
㊳ 5×6+30=
㊴ 3×6－11=
㊵ 1×6+16=
㊶ 5×6－28=
㊷ 5×5+25=
㊸ 5×6－16=
㊹ 5×5－24=
㊺ 4×6+6=
㊻ 3×6+17=
㊼ 1×6+22=
㊽ 2×4+34=
㊾ 5×6－17=
㊿ 6×6－12=
(51) 7×7－29=
(52) 6×9+32=
(53) 2×8+26=
(54) 5×9－20=
(55) 6×9－4=
(56) 6×8+12=
(57) 7×7+21=
(58) 3×7+29=
(59) 8×9－32=
(60) 6×7－12=
(61) 2×8－11=
(62) 7×9－51=
(63) 6×9+28=
(64) 2×8－16=
(65) 8×8－44=
(66) 6×9+16=
(67) 2×8+38=
(68) 5×9+17=
(69) 2×7+31=
(70) 3×8+25=
(71) 7×7－28=
(72) 6×9+31=
(73) 2×8+33=
(74) 6×9－34=
(75) 7×7+24=
(76) 3×8+30=
(77) 5×9+11=
(78) 6×9－38=
(79) 2×8+34=
(80) 7×8－26=
(81) 9×9－50=
(82) 6×9+39=
(83) 3×8+29=
(84) 3×8－24=
(85) 7×7+21=
(86) 5×9－19=
(87) 2×7+21=
(88) 3×8+27=
(89) 5×(　)+10=35
(90) 7×(　)+20=48
(91) 9×(　)－40=41
(92) 5×(　)－16=24
(93) 2×(　)+39=55
(94) 3×(　)+26=50
(95) 3×(　)+30=48
(96) 7×(　)－28=7
(97) (　)×9+31=85
(98) 7×(　)+33=47
(99) 6×(　)－34=20
(100) 7×(　)+24=73

思维拓展

小虎学写毛笔字，第一天写6个，以后每天比前一天多写3个，第四天写了多少个？

家园互动

点评：对____题　错____题　用时：________

综合练习(一)

① 54+(37－7)=
② 77－(42+8)=
③ 55－(48－40)=
④ 59+(13－7)=
⑤ 83－(55－5)=
⑥ 20+(14+7)=
⑦ 60+(75－70)=
⑧ 61－(14+9)=
⑨ 33+(24－4)=
⑩ 85－(58－50)=
⑪ 52+(35+5)=
⑫ 46－(6+20)=
⑬ 22+(60－5)=
⑭ 43－(56－50)=
⑮ 66+(60－55)=
⑯ 20+(33－3)=
⑰ 29+(77－70)=
⑱ 50+(8+9)=
⑲ 47－(20－8)=
⑳ 36+(50－7)=
㉑ 32+(11+3)=
㉒ 48－(12+8)=
㉓ 80－(18+9)=
㉔ 65+(14－7)=
㉕ 24+(15－6)=

㉖ 57－(48－8)=
㉗ 60+(36－6)=
㉘ 86+(47－40)=
㉙ 64－(26－4)=
㉚ 98－(57－3)=
㉛ 50+(87－70)=
㉜ 47－(35+5)=
㉝ 31+(14－7)=
㉞ 40+(95－90)=
㉟ 21－(11－2)=
㊱ 63－(43－40)=
㊲ 50+(65－60)=
㊳ 88－(35+5)=
㊴ 30+(12－5)=
㊵ 47－(18+9)=
㊶ 40+(11+4)=
㊷ 54+(32－7)=
㊸ 39－(12+6)=
㊹ 90－(16+4)=
㊺ 55+(17+3)=
㊻ 96－(48－40)=
㊼ 28+(17－8)=
㊽ 69+(25+5)=
㊾ 37－(11+6)=
㊿ 98－(58－20)=

(51) 46+(14+7)=
(52) 35+(63－4)=
(53) 52－(13+7)=
(54) 25+(35－5)=
(55) 77－(35－10)=
(56) 17+(48－40)=
(57) 63－(23+20)=
(58) 74+(11+5)=
(59) 35+(78－70)=
(60) 44+(15+5)=
(61) 86－(41+6)=
(62) 30+(65－5)=
(63) 99－(56－50)=
(64) 42+(25+5)=
(65) 79+(40－20)=
(66) 77－(14+6)=
(67) 38－(22+8)=
(68) 52+(11+4)=
(69) 69－(37－30)=
(70) 90－(86－6)=
(71) 35+(43－3)=
(72) 50+(16－8)=
(73) 48－(11+9)=
(74) 59－(33+7)=
(75) 42+(57－7)=

(76) 74－(25+5)=
(77) 30+(98－60)=
(78) 65－(44－4)=
(79) 58－(26+4)=
(80) 93－(47－40)=
(81) 72+(12+8)=
(82) 40－(4+11)=
(83) 96－(12+8)=
(84) 69－(10+30)=
(85) 84－(50－7)=
(86) 55－(24+6)=
(87) 30+(14－9)=
(88) 26－(16－8)=
(89) 76－(37+___)=26
(90) 88－(23+___)=20
(91) 20+(46－___)=28
(92) 94－(36+___)=27
(93) 75－(53－___)=34
(94) 36+(24+___)=87
(95) 34+(28－___)=42
(96) 66－(11+___)=6
(97) 78－(63－___)=26
(98) 90－(34+___)=21
(99) 70－(33+___)=3
(100) 76－(35+___)=30

知识课堂

$6\times7+8=50$

42

先算乘法 6 × 7 = 42，再用 42 + 8 = 50。

$5\times8-5=35$

40

先算乘法 5 × 8 = 40，再用 40 － 5 = 35。

家园互动

点评：对______题　错______题　用时：__________

_____月_____日　　星期_____　　　　评分：　真棒！☺　　不错！☺　　加油！☺

① 46 −(6+20)=

② 22+(60 − 5)=

③ 43 −(56 − 50)=

④ 66+(60 − 55)=

⑤ 20+(33 − 3)=

⑥ 29+(77 − 70)=

⑦ 50+(8+9)=

⑧ 47 −(20 − 8)=

⑨ 36+(50 − 7)=

⑩ 32+(11+3)=

⑪ 48 −(12+8)=

⑫ 80 −(18+9)=

⑬ 65+(14 − 7)=

⑭ 24+(15 − 6)=

⑮ 57 −(48 − 8)=

⑯ 60+(36 − 6)=

⑰ 86+(47 − 40)=

⑱ 64 −(26 − 4)=

⑲ 98 −(57 − 3)=

⑳ 50+(87 − 70)=

㉑ 47 − (35+5)=

㉒ 31+(14 − 7)=

㉓ 40+(95 − 90)=

㉔ 21 − (11 − 2)=

㉕ 63 − (43 − 40)=

㉖ 35+(78 − 70)=

㉗ 44+(15+5)=

㉘ 86 − (41+6)=

㉙ 30+(65 − 5)=

㉚ 99 − (56 − 50)=

㉛ 42+(25+5)=

㉜ 79+(40 − 20)=

㉝ 77 − (14+6)=

㉞ 38 − (22+8)=

㉟ 52+(11+4)=

㊱ 69 − (37 − 30)=

㊲ 50+(65 − 60)=

㊳ 88 −(35+5)=

㊴ 30+(12 − 5)=

㊵ 47 − (18+9)=

㊶ 40+(11+4)=

㊷ 54+(32 − 7)=

㊸ 39 − (12+6)=

㊹ 90 − (16+4)=

㊺ 55+(17+3)=

㊻ 96 −(48 − 40)=

㊼ 28+(17 − 8)=

㊽ 69+(25+5)=

㊾ 37 − (11+6)=

㊿ 46+(14+7)=

(51) 98 − (58 − 20)=

(52) 35+(63 − 4)=

(53) 52 − (13+7)=

(54) 25+(35 − 5)=

(55) 77 − (35 − 10)=

(56) 17+(48 − 40)=

(57) 63 − (23+20)=

(58) 74+(11+5)=

(59) 90 − (86 − 6)=

(60) 35+(43 − 3)=

(61) 50+(16 − 8)=

(62) 48 − (11+9)=

(63) 59 − (33+7)=

(64) 42+(57 − 7)=

(65) 74 − (25+5)=

(66) 30+(98 − 60)=

(67) 65 − (44 − 4)=

(68) 58 − (26+4)=

(69) 93 − (47 − 40)=

(70) 72+(12+8)=

(71) 40 − (4+11)=

(72) 96 − (12+8)=

(73) 69 − (10+30)=

(74) 84 − (50 − 7)=

(75) 55 − (24+6)=

(76) 30+(14 − 9)=

(77) 26 − (16 − 8)=

(78) 54+(37 − 7)=

(79) 77 − (42+8)=

(80) 55 − (48 − 40)=

(81) 59+(13 − 7)=

(82) 83 − (55 − 5)=

(83) 20+(14+7)=

(84) 60+(75 − 70)=

(85) 61 − (14+9)=

(86) 33+(24 − 4)=

(87) 85 − (58 − 50)=

(88) 52+(35+5)=

(89) 10+(14 − 7)=

(90) 8+(13 − 7)=

(91) 7+(15 − 6)=

(92) 6+(14 − 6)=

(93) 9+(11 − 3)=

(94) 12+(10 − 6)=

(95) 11+(6 − 2)=

(96) 9+(9 − 7)=

(97) 3+(19 − 4)=

(98) 5+(13 − 3)=

(99) 9+(11 − 4)=

⑩⓪ 7+(12 − 6)=

思维拓展

小明暑假和父母去北京旅游,他们和旅游团的每一个人合照一次,一共照了15张照片,参加旅游团的共有多少人?

家园互动

点评：对_____题　错_____题　用时：_____

① 58－(26+4)=
② 93－(47－40)=
③ 72+(12+8)=
④ 40－(4+11)=
⑤ 96－(12+8)=
⑥ 69－(10+30)=
⑦ 84－(50－7)=
⑧ 55－(24+6)=
⑨ 30+(14－9)=
⑩ 26－(16－8)=
⑪ 46+(14+7)=
⑫ 35+(63－4)=
⑬ 52－(13+7)=
⑭ 25+(35－5)=
⑮ 77－(35－10)=
⑯ 42+(25+5)=
⑰ 79+(40－20)=
⑱ 77－(14+6)=
⑲ 38－(22+8)=
⑳ 52+(11+4)=
㉑ 69－(37－30)=
㉒ 90－(86－6)=
㉓ 35+(43－3)=
㉔ 50+(16－8)=
㉕ 48－(11+9)=

㉖ 59－(33+7)=
㉗ 42+(57－7)=
㉘ 74－(25+5)=
㉙ 30+(98－60)=
㉚ 65－(44－4)=
㉛ 17+(48－40)=
㉜ 63－(23+20)=
㉝ 74+(11+5)=
㉞ 35+(78－70)=
㉟ 44+(15+5)=
㊱ 86－(41+6)=
㊲ 30+(65－5)=
㊳ 99－(56－50)=
㊴ 76－(37+___)=20
㊵ 88－(23+___)=31
㊶ 20+(46－___)=38
㊷ 94－(36+___)=27
㊸ 74－(53－___)=34
㊹ 36+(24+___)=87
㊺ 14+(28－___)=42
㊻ 76－(11+___)=16
㊼ 78－(63－___)=26
㊽ 90－(34+___)=21
㊾ 73－(33+___)=3
㊿ 76－(35+___)=36

51 5×5+25=
52 5×6－16=
53 5×5－24=
54 4×6+6=
55 4×4+15=
56 1×6+24=
57 2×3+24=
58 6×6－25=
59 4×5+20=
60 6×6－20=
61 2×4+22=
62 4×6－20=
63 3×6+19=
64 3×5－13=
65 5×5－17=
66 6×6+16=
67 3×4+42=
68 3×3+43=
69 5×5－23=
70 3×4+48=
71 3×3+40=
72 3×4+46=
73 5×5－21=
74 3×4－11=
75 4×6－22=

76 4×4－10=
77 2×3+5×5=
78 2×3+3×4=
79 3×4+4×5=
80 4×5+5×6=
81 1×6+20=
82 2×4+32=
83 4×5+2×6=
84 2×6+6×6=
85 5×6－15=
86 5×6+30=
87 3×6－11=
88 1×6+16=
89 5×6－28=
90 2×3+4×5=
91 1×2+2×3=
92 6×6－27=
93 2×4+36=
94 4×6－18=
95 3×5－14=
96 5×5－10=
97 5×6+6×6=
98 5×5+6×5=
99 1×4+4×5=
100 4×4+5×5=

知识课堂

6×9＋6=60　　5×9－5=40
　　54　　　　　　45

先算乘法6×9=54,再用54+6=60。　先算乘法5×9=45,再用45－5=40。

家园互动

点评:对_____题 错_____题 用时:_____

93

______月______日 星期______ 评分：真棒！☺ 不错！☺ 加油！☺

① 50+(8+9)=
② 47－(20－8)=
③ 65+(14－7)=
④ 24+(15－6)=
⑤ 57－(48－8)=
⑥ 60+(36－6)=
⑦ 6×9+30=
⑧ 7×7－30=
⑨ 9×9－45=
⑩ 2×8+35=
⑪ 7×8－22=
⑫ 54+(32－7)=
⑬ 39－(12+6)=
⑭ 90－(16+4)=
⑮ 55+(17+3)=
⑯ 96－(48－40)=
⑰ 28+(17－8)=
⑱ 69+(25+5)=
⑲ 37－(11+6)=
⑳ 46+(14+7)=
㉑ 46－(6+20)=
㉒ 22+(60－5)=
㉓ 43－(56－50)=
㉔ 66+(60－55)=
㉕ 20+(33－3)=
㉖ 29+(77－70)=
㉗ 6×9－36=
㉘ 7×7+25=
㉙ 3×8+20=
㉚ 5×9－10=
㉛ 2×8+31=
㉜ 9×9－49=
㉝ 7×7+26=
㉞ 9×9－42=
㉟ 5×9+14=
㊱ 36+(50－7)=
㊲ 32+(11+3)=
㊳ 48－(12+8)=
㊴ 80－(18+9)=
㊵ 3×8+26=
㊶ 6×9+40=
㊷ 9×9－46=
㊸ 3×8+40=
㊹ 2×7+11=
㊺ 5×9+18=
㊻ 7×7－27=
㊼ 2×8+37=
㊽ 9×9－44=
㊾ 9×9+9=
㊿ 2×8+32=
(51) 7×7－29=
(52) 6×9+32=
(53) 2×8+26=
(54) 5×9－20=
(55) 6×9－4=
(56) 6×8+12=
(57) 7×7+21=
(58) 3×7+29=
(59) 8×9－32=
(60) 6×7－12=
(61) 2×8－11=
(62) 7×9－51=
(63) 6×9+28=
(64) 2×8－16=
(65) 8×8－44=
(66) 6×9+16=
(67) 2×8+38=
(68) 5×9+17=
(69) 2×7+31=
(70) 3×8+25=
(71) 7×7－28=
(72) 6×9+31=
(73) 2×8+33=
(74) 6×9－34=
(75) 7×7+24=
(76) 3×8+30=
(77) 5×9+11=
(78) 6×9－38=
(79) 2×8+34=
(80) 7×8－26=
(81) 9×9－50=
(82) 6×9+39=
(83) 3×8+29=
(84) 3×8－24=
(85) 7×7+21=
(86) 5×9－19=
(87) 2×7+21=
(88) 3×8+27=
(89) 3×(　　)+30=48
(90) 7×(　　)－28=7
(91) (　　)×9+31=85
(92) 7×(　　)+33=47
(93) 6×(　　)－34=20
(94) 7×(　　)+24=73
(95) 5×(　　)+10=35
(96) 7×(　　)+20=48
(97) 9×(　　)－40=41
(98) 5×(　　)－16=24
(99) 2×(　　)+39=55
(100) 3×(　　)+26=50

思维拓展

小明暑假和父母去北京旅游，他们和旅游团的每一个人合照一次，一共照了 15 张照片，参加旅游团的共有多少人？

家园互动

点评：对______题 错______题 用时：__________

综合练习(三)

第 95 天
二年级上册

① 42 － 2=
② 5 ＋ 20=
③ 20 ＋ 1=
④ 2 ＋ 90=
⑤ 13 − 9=
⑥ 11 − 8=
⑦ 20 − 6=
⑧ 13 − 7=
⑨ 44 － 4=
⑩ 30 ＋ 9=
⑪ 7 ＋ 50=
⑫ 94 ＋ 4=
⑬ 60 ＋ 6=
⑭ 3 ＋ 50=
⑮ 8 ＋ 70=
⑯ 73 － 3=
⑰ 90 ＋ 5=
⑱ 88 － 8=
⑲ 70 ＋ 4=
⑳ 40 ＋ 6=
㉑ 60 ＋ 4=
㉒ 60 ＋ 9=
㉓ 50 ＋ 1=
㉔ 39 － 9=
㉕ 80 − 60=

㉖ 90 − 80=
㉗ 20+50=
㉘ 70+10=
㉙ 20+20=
㉚ 60+30=
㉛ 10+80=
㉜ 60 − 50=
㉝ 20+40=
㉞ 60+20=
㉟ 30 − 10=
㊱ 70 − 50=
㊲ 12 − 8=
㊳ 15 − 1+4=
㊴ 6+6 − 5=
㊵ 1+8 − 3=
㊶ 1+9 − 5=
㊷ 9+8 − 5=
㊸ 6+4 − 2=
㊹ 12+(8 − 6)=
㊺ 11+(5 − 1)=
㊻ 6+2 − 5=
㊼ 7+8 − 6=
㊽ 11+2+3=
㊾ 9+(10 − 7)=
㊿ 3+(15 − 4)=

(51) 4 × 4 − 15=
(52) 1 × 6+30=
(53) 4 × 6 − 22=
(54) 4 × 4 − 10=
(55) 6 × 6 − 27=
(56) 2 × 4+36=
(57) 4 × 6 − 18=
(58) 3 × 5 − 14=
(59) 5 × 5 − 10=
(60) 3 × 6 − 15=
(61) 2 × 3+26=
(62) 5 × 5 − 15=
(63) 3 × 4+40=
(64) 3 × 5+15=
(65) 5 × 5+25=
(66) 5 × 6 − 19=
(67) 6 × 6 − 14=
(68) 3 × 3+41=
(69) 3 × 4+44=
(70) 5 × 5 − 13=
(71) 4 × 6+24=
(72) 4 × 5 − 10=
(73) 2 × 4+30=
(74) 5 × 6 − 13=
(75) 3 × 6+13=

(76) 4 × 5+18=
(77) 4 × 6 − 16=
(78) 4 × 4+16=
(79) 3 × 5+6=
(80) 6 × 6 − 18=
(81) 1 × 6+28=
(82) 3 × 5+7=
(83) 3 × 5 − 9=
(84) 4 × 6 − 14=
(85) 1 × 6+20=
(86) 2 × 4+32=
(87) 5 × 6 − 15=
(88) 5 × 6+30=
(89) 3 × 6 − 11=
(90) 1 × 6+16=
(91) 5 × 6 − 28=
(92) 5 × 5+25=
(93) 5 × 6 − 16=
(94) 5 × 5 − 24=
(95) 4 × 6+6=
(96) 3 × 6+17=
(97) 1 × 6+22=
(98) 2 × 4+34=
(99) 5 × 6 − 17=
(100) 6 × 6 − 12=

知识课堂

5 ×(　　)< 21,括号里最大能填几?想一想:5 与几相乘的积最接近 17,但比 21 小。即 5 ×(4)< 21。

家园互动

点评:对______题　错______题　用时:__________

_____月_____日 星期____　　　评分：真棒!☺　不错!☺　加油!☺

① 96 − (48 − 40)=

② 28+(17 − 8)=

③ 69+(25+5)=

④ 37 − (11+6)=

⑤ 98 − (58 − 20)=

⑥ 54+(37 − 7)=

⑦ 77 − (42+8)=

⑧ 55 − (48 − 40)=

⑨ 59+(13 − 7)=

⑩ 83 − (55 − 5)=

⑪ 20+(14+7)=

⑫ 60+(75 − 70)=

⑬ 61 − (14+9)=

⑭ 33+(24 − 4)=

⑮ 85 − (58 − 50)=

⑯ 52+(35+5)=

⑰ 46 − (6+20)=

⑱ 22+(60 − 5)=

⑲ 43 − (56 − 50)=

⑳ 66+(60 − 55)=

㉑ 20+(33 − 3)=

㉒ 29+(77 − 70)=

㉓ 50+(8+9)=

㉔ 47 − (20 − 8)=

㉕ 36+(50 − 7)=

㉖ 2×8+26=

㉗ 5×9 − 20=

㉘ 6×9 − 4=

㉙ 6×8+12=

㉚ 7×7+21=

㉛ 3×7+29=

㉜ 8×9 − 32=

㉝ 6×7 − 12=

㉞ 2×8 − 11=

㉟ 7×9 − 51=

㊱ 6×9+28=

㊲ 2×8+16=

㊳ 8×8 − 44=

㊴ 6×9+16=

㊵ 2×8+40=

㊶ 6×9 − 33=

㊷ 7×8 − 28=

㊸ 9×9 − 41=

㊹ 6×9 − 35=

㊺ 3×8 − 21=

㊻ 7×7 − 23=

㊼ 7×8+20=

㊽ 3×8 − 22=

㊾ 7×7 − 22=

㊿ 7×8+24=

(51) 9×9 − 47=

(52) 5×9 − 16=

(53) 2×8+39=

(54) 3×8+26=

(55) 6×9+30=

(56) 7×7 − 30=

(57) 9×9 − 45=

(58) 2×8+35=

(59) 7×8 − 22=

(60) 6×9 − 36=

(61) 7×7+25=

(62) 3×8 − 20=

(63) 5×9 − 10=

(64) 2×8+31=

(65) 9×9 − 49=

(66) 7×7+26=

(67) 9×9 − 42=

(68) 5×9+14=

(69) 3×8+26=

(70) 6×9+40=

(71) 9×9 − 46=

(72) 3×8+40=

(73) 2×7+11=

(74) 5×9+18=

(75) 7×7 − 27=

(76) 2×8+37=

(77) 9×9 − 44=

(78) 9×9+9=

(79) 2×8+32=

(80) 6×9 − 37=

(81) 7×8+30=

(82) 5×9+12=

(83) 9×9 − 48=

(84) 5×9+13=

(85) 3×8+30=

(86) 5×9+11=

(87) 6×9 − 38=

(88) 2×8+34=

(89) 7×8 − 26=

(90) 9×9 − 50=

(91) 6×9+39=

(92) 3×8+21=

(93) 2×8+24=

(94) 7×7 − 21=

(95) 5×9 − 20=

(96) 2×7+14=

(97) 3×9+27=

(98) 7×7 − 19=

(99) 5×9+15=

⑩⑩ 7×7+20=

思维拓展

同学们排成一队去体检,小红发现她前边有25人,后边比前边少5人。这支队伍一共有多少人?

家园互动

点评：对_____题 错_____题 用时：_____

综合练习(四)

① 6×9+28=
② 2×8+16=
③ 8×8－44=
④ 6×9+16=
⑤ 2×8+40=
⑥ 83－(55－5)=
⑦ 20+(14+7)=
⑧ 60+(75－70)=
⑨ 61－(14+9)=
⑩ 33+(24－4)=
⑪ 85－(58－50)=
⑫ 52+(35+5)=
⑬ 46－(6+20)=
⑭ 22+(60－5)=
⑮ 43－(56－50)=
⑯ 66+(60－55)=
⑰ 20+(33－3)=
⑱ 29+(77－70)=
⑲ 50+(8+9)=
⑳ 47－(20－8)=
㉑ 36+(50－7)=
㉒ 2×8+26=
㉓ 5×9－20=
㉔ 6×9－4=
㉕ 6×8+12=
㉖ 7×7+21=
㉗ 3×7+29=
㉘ 8×9－32=
㉙ 98－(58－20)=
㉚ 54+(37－7)=
㉛ 77－(42+8)=
㉜ 55－(48－40)=
㉝ 59+(13－7)=
㉞ 6×9－33=
㉟ 7×8－28=
㊱ 9×9－41=
㊲ 96－(48－40)=
㊳ 28+(17－8)=
㊴ 69+(25+5)=
㊵ 37－(11+6)=
㊶ 6×7－12=
㊷ 2×8－11=
㊸ 7×9－51=
㊹ 6×9－35=
㊺ 3×8－21=
㊻ 7×7－23=
㊼ 7×8+20=
㊽ 3×8－22=
㊾ 7×7－22=
㊿ 7×8+24=
(51) 5×9+14=
(52) 3×8+26=
(53) 6×9+40=
(54) 6×9－37=
(55) 7×8+30=
(56) 5×9+12=
(57) 9×9－48=
(58) 5×9+13=
(59) 3×8+30=
(60) 5×9+11=
(61) 6×9－38=
(62) 2×8+34=
(63) 7×8－26=
(64) 9×9－50=
(65) 6×9+39=
(66) 3×8+21=
(67) 2×8+24=
(68) 7×7－21=
(69) 5×9－20=
(70) 2×7+14=
(71) 3×9+27=
(72) 7×7－19=
(73) 5×9+15=
(74) 7×7+20=
(75) 9×9－47=
(76) 5×9－16=
(77) 2×8+39=
(78) 3×8+26=
(79) 6×9+30=
(80) 9×9－46=
(81) 3×8+40=
(82) 2×7+11=
(83) 5×9+18=
(84) 7×7－27=
(85) 2×8+37=
(86) 9×9－44=
(87) 9×9+9=
(88) 2×8+32=
(89) 7×7－30=
(90) 9×9－45=
(91) 2×8+35=
(92) 7×8－22=
(93) 6×9－36=
(94) 7×7+25=
(95) 3×8－20=
(96) 5×9－10=
(97) 2×8+31=
(98) 9×9－49=
(99) 7×7+26=
(100) 9×9－42=

知识课堂

在做排列组合时，首先要判定其是否与顺序有关，如排数字与顺序有关，握手与顺序无关，如：1、2、3 三个数字可以排成几种不同的两位数。以 1 为十位数有 12、13，以 2 为十位数有 21、23，以 3 为十位数有 31、32，共 6 个，要做到不重复不遗漏。

家园互动

点评：对______题 错______题 用时：__________

______月______日 星期_____ 评分: 真棒!☺ 不错!☺ 加油!☺

① $3\times8+30=$	㉖ $6\times9-36=$	(51) $7\times7-22=$	(76) $6\times9+28=$
② $5\times9+11=$	㉗ $7\times7+25=$	(52) $7\times8+24=$	(77) $2\times8-16=$
③ $6\times9-38=$	㉘ $3\times8-20=$	(53) $2\times8+40=$	(78) $8\times8-44=$
④ $2\times8+34=$	㉙ $5\times9-10=$	(54) $9\times9-43=$	(79) $6\times9+16=$
⑤ $7\times8-26=$	㉚ $2\times8+31=$	(55) $6\times9-33=$	(80) $2\times8+40=$
⑥ $9\times9-50=$	㉛ $9\times9-49=$	(56) $2\times8+38=$	(81) $6\times9-33=$
⑦ $6\times9+39=$	㉜ $7\times7+26=$	(57) $5\times9+17=$	(82) $7\times8-28=$
⑧ $3\times8+21=$	㉝ $9\times9-42=$	(58) $2\times7+31=$	(83) $9\times9-41=$
⑨ $2\times8+24=$	㉞ $5\times9+14=$	(59) $3\times8+25=$	(84) $6\times9-35=$
⑩ $7\times7-21=$	㉟ $3\times8+26=$	(60) $7\times7-28=$	(85) $3\times8-21=$
⑪ $5\times9-20=$	㊱ $6\times9+40=$	(61) $6\times9+31=$	(86) $7\times7-23=$
⑫ $2\times7+14=$	㊲ $9\times9-46=$	(62) $2\times8+33=$	(87) $7\times8+20=$
⑬ $3\times9+27=$	㊳ $3\times8+40=$	(63) $6\times9-34=$	(88) $3\times8-22=$
⑭ $7\times7-19=$	㊴ $2\times7+11=$	(64) $7\times7+24=$	(89) $(\quad)\times9+31=67$
⑮ $5\times9+15=$	㊵ $5\times9+18=$	(65) $6\times9+30=$	(90) $2\times(\quad)+33=47$
⑯ $7\times7+20=$	㊶ $7\times7-27=$	(66) $2\times8+26=$	(91) $6\times(\quad)-34=20$
⑰ $9\times9-47=$	㊷ $2\times8+37=$	(67) $5\times9-20=$	(92) $7\times(\quad)+24=73$
⑱ $5\times9-16=$	㊸ $9\times9-44=$	(68) $6\times9-4=$	(93) $5\times(\quad)+15=60$
⑲ $2\times8+39=$	㊹ $9\times9+9=$	(69) $6\times8+12=$	(94) $7\times(\quad)+20=69$
⑳ $3\times8+26=$	㊺ $2\times8+32=$	(70) $7\times7+21=$	(95) $9\times(\quad)-40=5$
㉑ $6\times9+30=$	㊻ $6\times9-37=$	(71) $3\times7+29=$	(96) $5\times(\quad)-16=14$
㉒ $7\times7-30=$	㊼ $7\times8+30=$	(72) $8\times9-32=$	(97) $2\times(\quad)+39=57$
㉓ $9\times9-45=$	㊽ $5\times9+12=$	(73) $6\times7-12=$	(98) $3\times(\quad)+26=50$
㉔ $2\times8+35=$	㊾ $9\times9-48=$	(74) $2\times8-11=$	(99) $3\times(\quad)+25=49$
㉕ $7\times8-22=$	㊿ $5\times9+13=$	(75) $7\times9-51=$	(100) $7\times(\quad)-28=21$

思维拓展

小红做一道减法题，错把减数 50 写成 30，结果得 46，那么正确的差应该是多少？

家园互动

点评：对______题 错______题 用时：__________

综合练习(五)

① $6\times9+40=$

② $9\times9-46=$

③ $3\times8+40=$

④ $2\times7+11=$

⑤ $5\times9+18=$

⑥ $7\times7-27=$

⑦ $2\times8+37=$

⑧ $9\times9-44=$

⑨ $9\times9+9=$

⑩ $2\times8+32=$

⑪ $6\times9-37=$

⑫ $7\times8+30=$

⑬ $5\times9+12=$

⑭ $9\times9-48=$

⑮ $5\times9+13=$

⑯ $7\times7-22=$

⑰ $7\times8+24=$

⑱ $2\times8+40=$

⑲ $9\times9-43=$

⑳ $6\times9-33=$

㉑ $2\times8+30=$

㉒ $6\times9-33=$

㉓ $7\times8-28=$

㉔ $9\times9-41=$

㉕ $6\times9-35=$

㉖ $3\times8-21=$

㉗ $7\times7-23=$

㉘ $7\times8+20=$

㉙ $3\times8-22=$

㉚ $5\times9+15=$

㉛ $7\times7+20=$

㉜ $9\times9-47=$

㉝ $5\times9-16=$

㉞ $2\times8+39=$

㉟ $3\times8+26=$

㊱ $6\times9+30=$

㊲ $7\times7-30=$

㊳ $9\times9-45=$

㊴ $2\times8+35=$

㊵ $7\times8-22=$

㊶ $6\times9-36=$

㊷ $7\times7+25=$

㊸ $3\times8+20=$

㊹ $5\times9-10=$

㊺ $2\times8+31=$

㊻ $9\times9-49=$

㊼ $7\times7+26=$

㊽ $9\times9-42=$

㊾ $5\times9+14=$

㊿ $3\times8+26=$

(51) $2\times7+31=$

(52) $3\times8+25=$

(53) $7\times7-28=$

(54) $6\times9+31=$

(55) $2\times8+33=$

(56) $6\times9-34=$

(57) $7\times7+24=$

(58) $3\times8+30=$

(59) $5\times9+11=$

(60) $6\times9-38=$

(61) $2\times8+34=$

(62) $7\times8-26=$

(63) $9\times9-50=$

(64) $6\times9+39=$

(65) $7\times7-29=$

(66) $6\times9+32=$

(67) $2\times8+26=$

(68) $5\times9-20=$

(69) $6\times9-4=$

(70) $6\times8+12=$

(71) $7\times7+21=$

(72) $3\times7+29=$

(73) $8\times9-32=$

(74) $6\times7-12=$

(75) $2\times8-11=$

(76) $7\times9-51=$

(77) $6\times9+28=$

(78) $2\times8-16=$

(79) $8\times8-44=$

(80) $6\times9+16=$

(81) $2\times8+38=$

(82) $5\times9+17=$

(83) $3\times8+29=$

(84) $3\times8-24=$

(85) $7\times7+21=$

(86) $5\times9-19=$

(87) $2\times7+21=$

(88) $3\times8+27=$

(89) $5\times(\quad)+10=35$

(90) $7\times(\quad)+20=48$

(91) $9\times(\quad)-40=41$

(92) $5\times(\quad)-16=24$

(93) $2\times(\quad)+39=55$

(94) $3\times(\quad)+26=50$

(95) $3\times(\quad)+30=48$

(96) $7\times(\quad)-28=7$

(97) $(\quad)\times9+31=85$

(98) $7\times(\quad)+33=47$

(99) $6\times(\quad)-34=20$

(100) $7\times(\quad)+24=73$

知识课堂

从 A、B、C 三个字母中任选两个排列，有(　　)中选法。

方法一：列举法

AB	AC
BA	BC
CA	CB

方法二：分支法

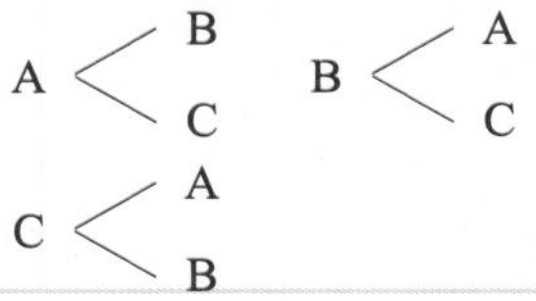

家园互动

点评：对______题　错______题　用时：________

_____月_____日　星期_____　　　评分：　真棒！☺　不错！☺　加油！☺

① 85 - (58 - 50) =

② 52 + (35 + 5) =

③ 46 - (6 + 20) =

④ 47 - (20 - 8) =

⑤ 36 + (50 - 7) =

⑥ 2 × 8 + 26 =

⑦ 5 × 9 - 20 =

⑧ 6 × 9 - 4 =

⑨ 6 × 8 + 12 =

⑩ 7 × 7 + 21 =

⑪ 3 × 7 + 29 =

⑫ 8 × 9 - 32 =

⑬ 6 × 7 - 12 =

⑭ 2 × 8 - 11 =

⑮ 7 × 9 - 51 =

⑯ 6 × 9 + 28 =

⑰ 2 × 8 + 16 =

⑱ 8 × 8 - 44 =

⑲ 6 × 9 + 16 =

⑳ 2 × 8 + 40 =

㉑ 6 × 9 - 33 =

㉒ 7 × 8 - 28 =

㉓ 9 × 9 - 41 =

㉔ 6 × 9 - 35 =

㉕ 3 × 8 - 21 =

㉖ 7 × 7 - 23 =

㉗ 7 × 8 + 20 =

㉘ 3 × 8 - 22 =

㉙ 7 × 7 - 22 =

㉚ 7 × 8 + 24 =

㉛ 9 × 9 - 47 =

㉜ 5 × 9 - 16 =

㉝ 2 × 8 + 39 =

㉞ 3 × 8 + 26 =

㉟ 6 × 9 + 30 =

㊱ 7 × 7 - 30 =

㊲ 9 × 9 - 45 =

㊳ 2 × 8 + 35 =

㊴ 7 × 8 - 22 =

㊵ 6 × 9 - 36 =

㊶ 7 × 7 + 25 =

㊷ 3 × 8 - 20 =

㊸ 5 × 9 - 10 =

㊹ 7 × 7 + 20 =

㊺ 22 + (60 - 5) =

㊻ 43 - (56 - 50) =

㊼ 66 + (60 - 55) =

㊽ 20 + (33 - 3) =

㊾ 29 + (77 - 70) =

㊿ 50 + (8 + 9) =

51 7 × 7 - 27 =

52 2 × 8 + 37 =

53 9 × 9 - 44 =

54 9 × 9 + 9 =

55 2 × 8 + 32 =

56 6 × 9 - 37 =

57 7 × 8 + 30 =

58 5 × 9 + 12 =

59 9 × 9 - 48 =

60 5 × 9 + 13 =

61 3 × 8 + 30 =

62 5 × 9 + 11 =

63 6 × 9 - 38 =

64 2 × 8 + 34 =

65 7 × 8 - 26 =

66 9 × 9 - 50 =

67 6 × 9 + 39 =

68 3 × 8 + 21 =

69 2 × 8 + 24 =

70 7 × 7 - 21 =

71 5 × 9 - 20 =

72 2 × 7 + 14 =

73 3 × 9 + 27 =

74 7 × 7 - 19 =

75 5 × 9 + 15 =

76 96 - (48 - 40) =

77 28 + (17 - 8) =

78 69 + (25 + 5) =

79 37 - (11 + 6) =

80 98 - (58 - 20) =

81 54 + (37 - 7) =

82 77 - (42 + 8) =

83 2 × 8 + 31 =

84 9 × 9 - 49 =

85 7 × 7 + 26 =

86 9 × 9 - 42 =

87 5 × 9 + 14 =

88 3 × 8 + 26 =

89 6 × 9 + 40 =

90 9 × 9 - 46 =

91 3 × 8 + 40 =

92 2 × 7 + 11 =

93 5 × 9 + 18 =

94 55 - (48 - 40) =

95 59 + (13 - 7) =

96 83 - (55 - 5) =

97 20 + (14 + 7) =

98 60 + (75 - 70) =

99 61 - (14 + 9) =

100 33 + (24 - 4) =

思维拓展

图书室里有一些男生和25名女生，出去3名男生和9名女生后，剩下的男生和女生一样多，图书室里原来有多少名男生？

家园互动

点评：对_____题　错_____题　用时：_____